Bonaventura da Bagnoregio

Itinerario
dell'anima a Dio

Testo latino a fronte

Introduzione, traduzione,
note e apparati di
Letterio Mauro

BOMPIANI
TESTI A FRONTE

ISBN 88-452-9178-2

© 2002 R.C.S. Libri S.p.A., Milano
I edizione Bompiani Testi a fronte marzo 2002

INTRODUZIONE

1. *L'uomo alla ricerca di Dio*

Come ha osservato Jacques Le Goff[1], il modello umano dominante nel Medioevo è quello definito dalla religione: l'uomo è innanzi tutto la creatura di Dio, e la sua natura, la sua storia, il suo destino sono conosciuti a partire da quanto ne dice la Scrittura. Creato a immagine e somiglianza di Dio e destinato a una felicità senza fine, l'uomo, in seguito alla colpa originale, è stato allontanato dal paradiso terrestre e condannato ad una vita di tribolazioni; se non ha perso la sua condizione di *imago Dei* e se anzi la redenzione operata dal Verbo ha restaurato la sua originaria relazione con Dio, egli resta tuttavia un peccatore, sempre pronto a soccombere alla tentazione e quindi a sottrarsi al disegno salvifico divino. Grandezza e indigenza si mescolano insomma nella condizione dell'uomo, che, fatto per Dio, come aveva insegnato Agostino[2], ne è ancora lontano e che, proprio per questo, si configura essenzialmente come un *viator*[3], come un pellegrino in viaggio verso la vera patria, consapevole della sua meta ma costantemente esposto al rischio di smarrirne la via.

Certo, per chi, come ad esempio il monaco[4], vive nella perfezione del distacco dal mondo, vi è sempre la possibilità di anticipare in qualche misura l'arrivo all'ultima tappa dell'itinerario. Non a caso questo tema viene particolarmente approfondito dalla «teologia monastica», che vede appunto nella vita claustrale un'anticipazione di quella celeste e nel desiderio che il monaco ha di quest'ultima una sorta di possesso anticipato di Dio. Luogo del rapporto privilegiato con l'Assoluto, il monastero appare così prefigurazione della Gerusalemme celeste[5]; in esso, attraverso il severo esercizio della *lectio* e della *meditatio* della Bibbia, ci si prepara a gustare le gioie della *contemplatio* della vita futura.

Ma questa «devozione al cielo», a cui ogni cristiano di per sé è invitato, può essere di fatto vissuta autenticamente al di fuori del chiostro? Soprattutto a partire dal secolo XII, tra i laici, desiderosi di orientare la propria esistenza a Dio, pur continuando a vivere tra gli uomini, emerge con sempre maggior forza l'esigenza di trovare una spiritualità più adatta di quella claustrale al loro stato di cristiani impegnati nel mondo[6]. Di essa si faranno consapevoli interpreti, nel corso del secolo successivo, i nuovi Ordini mendicanti, domenicano e francescano, il messaggio (e il successo) dei quali si comprendono soltanto all'interno di questo particolare clima spirituale.

Due tratti caratterizzeranno sempre più marcatamente questa rinnovata spiritualità laicale: la convinzione che si possa giungere a Dio solo per mezzo di suo Figlio crocifisso e la volontà di conformarsi a Cristo, vista come condizione imprescindibile della propria salvezza[7], e saranno appunto questi tratti a emergere nei nuovi modelli di santità proposti dai Mendicanti.

Appare particolarmente significativo al riguardo l'esempio di Francesco d'Assisi. Dal punto di vista della formulazione teorica, l'itinerario del ritorno a Dio da lui seguito non presenta sostanziali novità rispetto a quello descritto da tanti esponenti della cultura monastica del secolo precedente, da Bernardo di Clairvaux a Guglielmo di Saint-Thierry e a Riccardo di San Vittore[8]. Le novità riguardano piuttosto i mezzi per giungere a quell'obiettivo: non si tratta più soltanto di elevarsi, mediante lo sforzo ascetico, dalla vita secondo la carne ai più alti gradi della perfezione spirituale, così da restaurare l'immagine di Dio in sé deformata dal peccato; se l'ideale del distacco dal «mondo» resta valido, esso viene però vissuto da Francesco, attraverso una formidabile ascesi, in una prospettiva «evangelica», centrata sull'amore per Cristo crocifisso e sulla integrale imitazione di Gesù, cercato e amato in tutte le creature, soprattutto in quelle più deboli e derelitte[9].

Superando la dimensione puramente intimistica, la ricerca di Dio si trasferisce, per così dire, dall'anima del *viator* al più ampio contesto mondano e umano, rivolgendosi in primo luogo alla creatura sofferente, immagine paradigmatica del Cristo sofferente. Come scrive Tommaso da Celano, Francesco «qualunque bisogno, qualunque privazione vedesse in qualcuno, con rapida riflessione li riferiva a Cristo»[10].

Il segno delle stimmate esprime in modo emblematico tale piena conformità a Cristo; dopo averlo perfettamente imitato nei suoi atti e nella sua condotta, Francesco riceve in sé, a sigillo dell'amorosa contemplazione della Passione, il segno fisico della sua somiglianza al Crocifisso, così da divenire autenticamente un nuovo Cristo – *alter Christus*[11] – e da essere posto al tempo stesso, come osserva Bonaventura nell'*Itinerarium*[12], «a modello di perfetta contemplazione, come prima era stato modello di azione, [...], perché per mezzo suo, più con l'esempio che con la parola, Dio invitasse tutti gli uomini veramente spirituali a questo passaggio e a questo rapimento estatico dell'anima».

Nell'*Itinerarium mentis in Deum*, concepito nell'ottobre del 1259 durante un soggiorno alla Verna[13], Bonaventura ha inteso appunto rileggere da teologo e alla luce di ben precisi quadri culturali[14] il miracolo delle stimmate, che proprio su quel monte aveva avuto luogo nel settembre del 1224 e che si configura, ai suoi occhi, come assolutamente esemplare per il *viator*. Le sei ali del Serafino apparso a Francesco al culmine della sua specialissima esperienza spirituale significano infatti, secondo Bonaventura, le sei tappe che conducono l'anima del *viator* alla pace della contemplazione[15], ossia ad anticipare su questa terra la *visio facie ad faciem* della vita futura.

Del tutto esemplare egli considera anche la centralità del Crocifisso nella vita di Francesco; essa si riflette nella struttura rigorosamente cristocentrica dell'*Itinerarium*[16], dove Bonaventura, dopo aver riproposto sinteticamente le sue idee su Cristo centro (*medium*), in quanto Verbo, non solo delle processioni trinitarie, tra il Padre e lo Spirito, ma anche nel rapporto tra Dio e uomo – Cristo è infatti l'*ars Patris* attraverso cui tutto è stato concepito e creato, è colui che redime l'uomo e che infonde nella sua anima la grazia e la vera conoscenza –, ricapitola significativamente tutti questi aspetti nella figura del Crocifisso, via[17] e scala[18] nel cammino verso Dio.

2. *Le condizioni dell'ascesa a Dio*

Le parole poste da Bonaventura nell'esergo dell'*Itinerarium* – «incipit speculatio pauperis in deserto» – definiscono con precisione l'identità e lo stato del *viator*. Al pari degli israeliti che, per giungere alla terra promessa, dovettero attraversare il deserto, anch'egli, per giungere alla patria celeste, deve attraversare il deserto di questo mondo, ma per lui, proprio come per gli israeliti, il deserto, in quanto luogo di solitudine[19], è lo spazio in cui Dio si rivela. Il mondo è infatti uno specchio, in cui è possibile intravedere le tracce di Dio, e la *speculatio*, la lettura di questo specchio, costituisce precisamente il compito del *viator*. Questi però è un *pauper* per le ragioni che Bonaventura espone in maniera puntuale: «secondo l'originaria costituzione della sua natura, l'uomo fu creato capace di pervenire alla quiete della contemplazione [...]. Ma, allontanatosi dalla vera luce per volgersi al bene passeggero, egli stesso a causa della propria colpa, e tutta la sua discendenza a causa del peccato originale, furono prostrati a terra. Il peccato originale ha corrotto in due modi la natura umana, cioè nella mente con l'ignoranza, e nella carne con la concupiscenza, così che l'uomo, accecato e prostrato a terra, giace nelle tenebre né riesce a vedere la luce del cielo, a meno che la grazia e la giustizia non gli vengano in aiuto contro la concupiscenza, la scienza e la sapienza contro l'ignoranza. Tutto questo avviene per mezzo di Gesù Cristo»[20].

Di suo, dunque, il *viator* non ha alcunché; anche il divenire consapevole della propria condizione di indigenza e il volerla superare, incamminandosi alla ricerca di Dio, sono in realtà un dono, perché è la grazia divina, data a lui per mezzo di Cristo, a rendere penetrante la sua ragione e retta la sua volontà, così da indirizzarle all'*itinerarium in Deum*[21]: in altre parole, per il *viator*, volgersi a Dio significa innanzi tutto rispondere alla iniziativa salvifica divina in Cristo.

Consapevole della propria povertà, l'uomo desidera superarsi, per «ritrovarsi» in Dio; cercandoLo, egli cerca in tal modo anche se stesso. Ma, ancora una volta, non si può desiderare Dio, se già non si è in una qualche misura inseriti nel suo orizzonte; sono infatti la preghiera fervente e la meditazione attenta, suscitate dall'azione della grazia, a generare nell'uomo tale desiderio[22].

Desiderio, preghiera, meditazione sono nozioni che la teologia monastica aveva particolarmente sviluppato e che, collocate in questo nuovo contesto, costituiscono una chiara spia del legame di Bonaventura con quella tradizione[23]. Particolare rilievo ha in lui la *meditatio*, che diviene, da sforzo di riflessione sulla parola di Dio trasmessa dalla Scrittura[24], considerazione penetrante della realtà fenomenica e di se stessi, al fine di scorgervi i molteplici segni della presenza divina, che sono altrettante tracce che orientano l'uomo nel suo itinerario.

3. Il mondo, specchio di Dio

Riprendendo una scansione, già proposta nelle *Quaestiones de mysterio Trinitatis*, a proposito delle diverse vie che consentono all'uomo di accertarsi dell'esistenza di Dio[25], Bonaventura delinea un percorso al divino strutturato in tre fasi: dalla considerazione di ciò che è fuori di noi a quella di noi stessi, a quella di ciò che è sopra di noi[26].

L'itinerario della *mens* a Dio si articola dunque secondo un duplice movimento – da ciò che è inferiore a ciò che è superiore, e da ciò che è esterno a ciò che è interno all'uomo – espresso rispettivamente dalle nozioni di «ascensus» e di «intrare in seipsum»[27]. In realtà, questo duplice movimento è interno alla *mens* e, per così dire, mediato da essa; il passaggio da ciò che è inferiore ed esterno a ciò che è superiore ed interno ha luogo infatti tramite la capacità della *mens*, intesa agostinianamente come vertice dell'anima[28], di considerare assennatamente la realtà nel suo complesso, dato che «l'intera realtà costituisce una scala per ascendere a Dio»[29].

Questa affermazione richiede di essere letta alla luce della dottrina esemplaristica bonaventuriana, in base alla quale ogni essere, in quanto creato alla luce di modelli (*exemplaria*) presenti nella mente di Dio, riflette, pur secondo gradi diversi di partecipazione – *vestigium*, *imago*, *similitudo* –, le perfezioni divine ed è in grado di rinviare a Dio e, dunque, di relazionarsi a Lui[30]. Su questo punto la tradizione biblico-patristica aveva profondamente influito sui pensatori medioevali, consapevoli della trasparenza e della «leggibilità del mondo»[31] e di essa si era pure alimentata l'amorosa considerazione del creato espressa nelle *Laudes creaturarum* di Francesco d'Assisi.

Tuttavia, pur affermando che le realtà mondane consentono all'uomo di elevarsi alla conoscenza «dell'immensa potenza, sapienza e bontà del loro creatore»[32], Bonaventura non sembra interessarsi ai *mirabilia* della natura, che tanto avevano attratto ad esempio Ugo di San Vittore[33]. In altre parole, il maestro francescano non si sofferma a descrivere minuziosamente la perfezione che traspare nell'organismo degli animali, nella struttura e nella varietà delle piante, ma concentra piuttosto la propria attenzione sulle *conditiones* metafisiche delle creature – origine, grandezza, molteplicità, bellezza, pienezza, attività, ordine[34] –, ossia su ciò che le caratterizza ontologicamente, in quanto *res*, ed è appunto in queste sette *conditiones* che egli scorge altrettante testimonianze della potenza, sapienza e bontà di Dio.

Non soltanto questi attributi divini sono attestati dal fatto che le cose esistono, sono distinte l'una dall'altra e dotate di bellezza[35]; ad essi rinvia anche l'ordinata capacità operativa che è loro propria. Se, su questo punto, gli accenni all'operare penetrante, continuo ed esteso del fuoco, e alla bellezza delle cose «considerata rispetto alla varietà di luci [...] presente [...] nei corpi celesti»[36], possono essere letti come reminiscenze delle *Laudes creaturarum* che cantavano il «fuoco robustoso et forte», «messor lo frate Sole, / [...] bellu e radiante cum grande splendore», «sora Luna» e le stelle «clarite et pretiose et belle»[37], le altre considerazioni di Bonaventura sulle qualità delle cose fanno riferimento, piuttosto, in modo sintetico ad alcune dottrine sul mondo creato da lui esposte con maggiore ampiezza nella *Lectura super Sententias* e, in particolare, a quella della luce, forma sostanziale comune a tutti i corpi, e a quella delle *rationes seminales*.

Quanto alla prima, essa è almeno implicitamente richiamata, quando Bonaventura ricorda, a testimonianza dell'elevato potere delle cose di espandersi in lunghezza, larghezza e profondità, la capacità diffusiva della luce[38]. Per lui, infatti, la luce non è solo la chiarezza che penetra tutti gli elementi mondani ma, in primo luogo, una realtà spirituale, affine alla nozione moderna di energia[39], che, sempre in atto e diffondendosi istantaneamente dappertutto, predispone la materia a ricevere le determinazioni o forme ulteriori, dando ad ognuna la debita capacità operativa. In questo senso si può parlare della luce come della forma generale di tutti gli esseri e, proprio per questo, si comprende come Bonaventura, citando l'epistola di Giacomo (1,17), chiami Dio «Padre della luce»[40], intendendo significare con ciò che Dio è fonte di ogni esistenza e attività, proprio come lo è di ogni conoscenza e verità, dato che, secondo quanto si vedrà meglio più avanti, lo spirito umano può conoscere solo in quanto è illuminato dalla luce divina, la quale ne mette in moto, per così dire, la facoltà intellettiva.

Più esplicito è, invece, il riferimento alla dottrina delle *rationes seminales*: l'immensa potenza, sapienza e bontà di Dio, osserva infatti Bonaventura, sono anche manifestate «dalla pienezza delle cose, per cui la materia è piena di forme, presenti in essa come ragioni seminali»[41]. Facendo propria questa tesi agostiniana[42], ma già presente sia pure con altro significato nel pensiero degli Stoici[43], Bonaventura si propone di spiegare l'apparire nell'universo di nuove realtà, giustificandolo non tramite l'efficacia operativa della creatura ma con l'attività creatrice divina. Dio, infatti, pur creando tutti gli esseri simultaneamente, non ha tuttavia assegnato ad essi una uguale attualità o una uguale perfezione ontologica: alcuni sono stati prodotti nella loro forma definitiva, altri per contro soltanto in germe, non ancora perfettamente formati e destinati pertanto a svilupparsi in tempi successivi. È appunto per designare questi semi che Bonaventura, come già Agostino, si serve della nozione di *ratio seminalis*[44].

Il mondo è quindi gravido, per così dire, dei semi di tutte le cose, o, meglio, è gravido di tutte le forme non ancora manifestatesi nella loro pienezza. Questi semi sono, in altre parole, quelle stesse forme, già esistenti ma ancora in modo incompleto; la *ratio seminalis* non è perciò niente altro che una *inchoatio formae*. È chiaro allora che quanto di nuovo appare nell'universo è in realtà presente nella materia, ancorché non compiutamente attuato, fin dal momento della creazione e che, perciò, la comparsa di nuovi esseri non richiede alcun mutamento sul piano delle essenze, ossia alcun atto creativo, ma solo un mutamento sul piano dell'esistenza, nel senso di implicare un passaggio da un modo di essere incompleto e potenziale a un modo di essere completo e attuale.

Sotto questo aspetto si comprende come Bonaventura veda manifestate tramite la «pienezza» della materia la potenza, sapienza e bontà divine: sono infatti la potenza e la bontà di Dio ad avere immesso in essa, all'atto della creazione, le forme di tutti gli esseri da Lui prodotti, rendendola capace di riceverle in sé e, subordinatamente, di cooperare alla loro piena attuazione; ed è la sua sapienza ad aver stabilito il progressivo emergere di tali forme e il loro svilupparsi nel tempo secondo un piano ordinato.

Appare chiaro, perciò, in che senso la considerazione delle sette *conditiones* ricordate in precedenza conduca l'uomo ad avvertire nelle cose il vestigio, la capacità di rinviare ad altro; per Bonaventura, insomma, l'esser vestigio non è una proprietà accidentale delle cose: «ogni creatura, infatti, è per natura un'immagine e una similitudine dell'eterna Sapienza»[45].

È quindi legittimo dire che ogni creatura è *vestigium* perché è *res*, ed è *res* perché è *vestigium*; ossia essa, in tanto può manifestare Dio in qualità di *vestigium*, in quanto è prima di tutto un essere strutturato e ontologicamente consistente, e Dio può essere manifestato in senso proprio solo da qualcosa che vive, opera ed è dotato di perfezioni. Analogamente, la creatura in tanto è *res*, ovvero pienezza di realtà, in quanto è anche *vestigium*, cioè segno di Dio, perché appunto la sua realtà non si esaurisce sul piano della pura fisicità, ma racchiude un livello ulteriore di leggibilità, che concerne il significato ultimo di essa.

Bonaventura precisa anzi che queste *conditiones* consentono di riconoscere non un Dio qualsiasi, ma il Dio cristiano uno e trino[46]; tuttavia egli rileva anche che non tutti sono in grado di passare dai dati sperimentali della realtà alla conoscenza di ciò a cui essi rinviano. Se il creato è un libro[47], esso resta per molti illeggibile, non per suo intrinseco difetto ma per la loro incapacità di afferrarne, per così dire, il senso.

Anche le operazioni per mezzo delle quali le cose esterne «penetrano» nell'uomo (apprendimento, diletto, giudizio), se attentamente considerate, costituiscono uno specchio in cui è possibile intravedere le realtà divine. Questo secondo modo di considerare il mondo fenomenico – più elevato del precedente, poiché permette di contemplare Dio non solo *attraverso* le realtà sensibili come vestigia ma anche *in* esse, «in quanto Dio è in esse con la sua essenza, potenza e presenza»[48] – ruota attorno a quanto, negli atti con cui l'uomo si appropria, se così si può dire, della realtà esterna, sembra trascendere il piano meramente fenomenico.

Nell'apprendimento, in virtù del quale l'organo di senso percepisce l'immagine generata dall'oggetto, si deve infatti prestare attenzione alla capacità, costitutiva di ogni cosa, di generare la propria immagine, e nella quale si riflette l'eterno atto generativo con cui il Padre genera il Verbo, sua Immagine eterna[49]; analogamente, il diletto, che nasce dalla giusta proporzione esistente tra l'immagine e l'organo di senso, e grazie al quale una cosa viene percepita come bella, gradevole, salutare o meno, muove a desiderare Dio, che, proprio perché pienezza del bello e del salutare, è fonte della gioia perfetta[50].

Ma è soprattutto l'atto del giudizio intellettuale sull'esperienza sensibile – giudizio che dà ragione, tra l'altro, del diletto prodotto dalla cosa, mostrando come

esso nasca da un rapporto di proporzionalità tra soggetto senziente e oggetto conosciuto – a evidenziare la presenza nell'uomo di un elemento di stabilità e di immuta-
bilità (e quindi di eternità). Infatti, la possibilità di giudicare una cosa, prescindendo da ogni determinazione
spazio-temporale, e dunque servendosi di un criterio
immutabile ed eterno, porta a concludere che tale criterio non può derivare né da colui che giudica né dalla cosa giudicata, in quanto ambedue soggetti al mutamento,
ma solo da Dio, come riflesso di quelle leggi (*rationes*)
eterne, che costituiscono non solo gli archetipi delle
realtà temporali ma anche i loro paradigmi, gli elementi
del progetto divino della creazione[51].

Tali leggi trovano espressione principalmente nelle
diverse specie di numeri che, come aveva sostenuto
Agostino[52], scandiscono secondo gradi progressivamente ascendenti l'armonia sottesa ad ogni realtà del cosmo.
Fondendo l'affermazione biblica secondo la quale Dio
ha disposto «tutto secondo peso, numero e misura de-
terminati» (Sap. 11,20) con motivi della tradizione pita-
gorica, veicolati soprattutto dagli scritti agostiniani e
boeziani di aritmetica, metrica e musica, Bonaventura
vede nel numero «il principale vestigio che, nelle cose,
conduce alla Sapienza»[53] e che, dai numeri presenti nelle realtà corporee sino a quelli del giudizio, «necessariamente superiori alla nostra anima, in quanto infallibili e
ingiudicabili», ci fa conoscere Dio «in tutte le realtà corporee e sensibili, mentre apprendiamo che le cose sono
costituite secondo una proporzione numerica, mentre
proviamo diletto in questa proporzione numerica e
mentre giudichiamo in maniera inconfutabile per mezzo
delle leggi delle proporzioni numeriche»[54].

Ciò che a Bonaventura soprattutto preme è, dunque,
sottolineare come l'uomo possa formulare giudizi dotati
di universalità e di necessità, e quindi sicuri, sulla realtà
contingente e mutevole solo in virtù del rapporto che lega la sua *mens* alle *rationes aeternae*. Come si vedrà me-

glio più avanti, la possibilità per la *mens* di pervenire ad esse si fonda in ultima analisi sulla concezione dell'anima quale *imago Dei*, ovvero sulla specifica relazione tra l'anima umana e Dio, grazie alla quale la luce divina coopera con le capacità conoscitive dell'uomo sia, per così dire, attivandole, sia orientandole a sé. Per il *viator* insomma Dio non è soltanto meta finale dell'itinerario ma, ancora una volta, sua origine e condizione.

4. La Trinità in noi: l'uomo «imago Dei»

Passare dalla considerazione del vestigio di Dio fuori di noi a quella dell'immagine di Dio in noi significa «entrare nella verità di Dio», dopo essere stati condotti sulla sua via[55], equivale cioè a contemplare la divinità in modo più diretto e immediato. Come si è mostrato, infatti, nella prospettiva esemplaristica bonaventuriana l'*imago* indica una partecipazione alle perfezioni divine più intensa rispetto al *vestigium*.

Il tema biblico-patristico dell'uomo *imago Dei*[56], variamente ripreso dalla letteratura teologica del secolo XII, nella quale diviene un vero e proprio *topos*[57], e trasmesso a Bonaventura dalla scuola francescana di Parigi[58], era stato da lui svolto con particolare ampiezza nel corso della già ricordata *Lectura super Sententias*[59]. Il testo dell'*Itinerarium* fornisce una sintesi di questa discussione, dalla quale tuttavia traspare con chiarezza la centralità di tale tesi nella concezione antropologica di Bonaventura[60].

Egli afferma che nell'anima umana o, per meglio dire, nella *mens* che ne costituisce, come si è detto, la parte superiore, «riluce l'immagine della Trinità»[61]; in altre parole, *attraverso* le tre facoltà – memoria, intelletto, volontà – di cui è dotata e, successivamente, *in* esse l'uomo si apre al mistero del Dio cristiano uno e trino. Questa apertura si attua innanzi tutto quando l'uomo partecipa, mediante le loro operazioni, alla verità stessa, ossia quando egli attinge riguardo alle cose dati certi e immutabili, non scaturenti quindi né dalla sua natura né da quella delle cose, in quanto entrambe contingenti e soggette a mutamento, ma dalla luce con la quale Dio lo illumina.

Pur senza riesporre in maniera dettagliata la propria dottrina dell'illuminazione dell'anima da parte di Dio, «Padre della luce»[62] – formulata con ampiezza soprattutto nella quarta delle *Quaestiones de scientia Christi*[63] –, Bonaventura ne richiama nell'*Itinerarium* gli esiti più significativi relativamente all'attività delle tre potenze sopra menzionate.

La memoria, in primo luogo, ricorda in modo attuale tutte le realtà temporali – passate, presenti, future – e possiede perciò «un'immagine dell'eternità, il cui indivisibile presente abbraccia tutti i tempi»[64]. Essa, poi, conserva in sé «i principi semplici [...], quali il punto, l'istante, l'unità, senza i quali non è possibile ricordare né pensare le nozioni che hanno origine in virtù di essi», così da rivelare con chiarezza di non trarre i propri contenuti solo dalla realtà esterna, «ma anche ricevendo da un principio ad essa superiore e possedendo in se stessa delle forme semplici, che non possono penetrare in essa per mezzo della porta dei sensi o attraverso immagini sensibili»[65].

La memoria conserva in sé, infine, come eternamente validi, anche gli assiomi delle scienze, a cui dà il proprio assenso «non come percependo qualcosa di nuovo, ma piuttosto come riconoscendovi dei principi innati», e mostra in tal modo di essere illuminata da «una luce immutabile, in cui conserva il ricordo delle verità non soggette a mutamento»[66].

Le operazioni dell'intelletto testimoniano analogamente come esso sia «congiunto con la stessa Verità eterna, proprio nel momento in cui non può afferrare in modo certo nulla di vero, se essa stessa non glielo insegna»[67]. È infatti peculiare dell'intelletto comprendere il significato dei termini, delle proposizioni e delle deduzioni. Ora esso afferra il significato dei termini, quando ne comprende la definizione, ovvero quando fa riferimento a termini ancora più generali «fino a giungere a quei concetti supremi e generalissimi, ignorati i quali non è possibile comprendere in modo definitorio ciò che è incluso in essi», per cui «se non si conosce che cosa è l'ente per sé, non si può conoscere pienamente la definizione di alcuna sostanza particolare»[68]. Ma l'intelletto ha in sé appunto la nozione di tale ente, senza peraltro ricavarla dall'esperienza sensibile, che gli fa conoscere soltanto enti limitati, manchevoli, mutevoli; anzi esso conosce in senso proprio che un determinato ente è limitato, manchevole, mutevole, solo perché possiede la nozione dell'ente in sé, perfetto e immutabile.

L'intelletto comprende, poi, il significato delle proposizioni, allorché sa con certezza che sono vere, ossia quando sa che esprimono una verità immutabile, che non può quindi darsi diversamente da come è. Ma, ancora una volta, in quanto soggetto a mutamento, esso non è in grado di ricavare da sé tale certezza, che è frutto perciò dell'immutabile luce divina che lo illumina.

Non diversamente, l'intelletto afferra il significato di una deduzione se comprende il rapporto necessario che lega la conclusione alle premesse. Esso comprende, ad esempio, che necessariamente «se un uomo corre, si muove», e questo a prescindere sia dal fatto che un uomo stia effettivamente correndo, sia dal fatto che tale correre venga effettivamente conosciuto. La necessità logica di questa deduzione deriva perciò dalle *rationes aeternae* presenti nella mente divina e in base alle quali le realtà finite sono state create e si rapportano reciprocamente, dato che, come si è detto, la *ratio aeterna*, oltre a definire l'essenza della cosa, ossia a esprimere ciò che essa è in se stessa, pone la legge che ne regola le relazioni con le altre cose[69].

Da ultimo Bonaventura considera la volontà, che opera valutando, giudicando, desiderando. Ora, per valutare che cosa sia il meglio, la volontà deve possedere la nozione dell'ottimo, perché, in una data situazione, il meglio è appunto ciò che più si avvicina ad esso ed è quindi conosciuto come tale.

Analogamente, essa può esprimere un giudizio a proposito delle cose soggette a valutazione, solo basandosi su un criterio a sua volta non suscettibile di essere giudicato. E anche il desiderio, con cui la volontà tende a ciò che è in grado di soddisfare pienamente la sua sete di felicità, ossia al sommo Bene, presuppone il possesso della nozione di quest'ultimo, alla cui luce può valutare tutte le cose, in quanto la volontà «non appetisce nulla, se non perché è il sommo Bene, o perché indirizza ad esso, o perché ha in sé una qualche somiglianza con esso»[70].

Per Bonaventura insomma l'operare della volontà, al pari di quelli della memoria e dell'intelletto, riflette costitutivamente la luce stessa di Dio, e conduce a considerarne l'attributo della bontà somma, così come l'operare della memoria e quello dell'intelletto conducono a considerare rispettivamente gli attributi divini dell'eternità e della verità.

Attraverso queste tre facoltà, e precisamente riflettendo sulla loro natura e sul loro reciproco rapporto, l'uomo giunge inoltre, secondo quanto si è detto, ad aprirsi in modo specifico al mistero del Dio trino. Come infatti esse sono tre, sebbene l'anima, di cui sono facoltà, sia unica dal punto di vista dell'essenza, così anche le persone divine sono tre, sebbene unica sia l'essenza di Dio. Quanto, poi, al loro rapporto, esse sono, al pari delle persone divine, «consostanziali, coeguali e coeve»[71]. Dalla memoria, in effetti, trae origine l'intelletto, giacché quest'ultimo comprende, quando, per così dire, mette a fuoco con il suo acume l'immagine della cosa conservata nella memoria; da questa e da esso, infine, scaturisce, come vincolo di entrambi, l'appetizione del volere, nel senso che non si può desiderare se non ciò che si conosce e si ricorda.

Se in questo scambievole compenetrarsi delle sue tre facoltà l'anima umana vede chiaramente riflesso in sé il processo intertrinitario di Dio, in forza del quale ogni persona divina «è in ciascuna delle altre due, e tuttavia l'una non è l'altra»[72], questo mistero le si fa inoltre presente, quando considera le caratteristiche delle diverse discipline che costituiscono il sapere filosofico. Sotto tale profilo si può legittimamente affermare che anche la filosofia aiuta a contemplare la Trinità divina: «La filosofia, infatti, si divide in naturale, razionale e morale. La prima tratta della causa dell'esistere, e pertanto ci conduce alla potenza del Padre; la seconda tratta del criterio del conoscere, e pertanto ci conduce alla sapienza del Verbo; la terza tratta dell'ordinamento del vivere, e pertanto ci conduce alla bontà dello Spirito Santo.

«Inoltre, la filosofia naturale si divide in metafisica, matematica e fisica. La prima studia le essenze delle cose, la seconda i numeri e le figure, la terza le realtà naturali, le loro qualità e il loro operare, per mezzo di cui si propagano. Di conseguenza, la prima ci conduce al primo Principio, al Padre; la seconda alla sua Immagine, al Figlio; la terza al dono dello Spirito Santo.

«La filosofia razionale comprende la grammatica, che ci pone in grado di esprimerci con efficacia; la logica, che ci rende perspicaci nell'argomentare; la retorica, che ci rende capaci di convincere gli altri e di muovere i loro animi. Anch'esse, in modo simile alle precedenti, ci suggeriscono il mistero della stessa beatissima Trinità.

«La filosofia morale si divide in morale individuale, in morale domestica e in politica. La prima ci fa comprendere che il primo Principio non ha inizio, la seconda l'intimo legame di familiarità del Figlio col Padre, la terza la benignità dello Spirito Santo»[73].

Come è chiaro da queste parole, la suddivisione ternaria della filosofia – di origine platonico-stoica ma trasmessa a Bonaventura da Agostino e da lui utilizzata anche in altri suoi scritti[74] – è qui puntualmente adattata, soprattutto per quanto riguarda l'oggetto delle diverse scienze filosofiche, all'esigenza di rinviare al mistero trinitario; in altre parole, a questo punto del suo itinerario a Dio Bonaventura intende evidenziare, più che il contributo che la filosofia, in quanto sapere specialistico, autonomo nel metodo e nell'ambito di indagine, può dare alla lettura di tale mistero, la capacità di essa di manifestare, al pari di ogni altra realtà creata, la Trinità creatrice, ovvero il suo valore simbolico, il suo essere simbolo delle realtà sacre, di cui parla la teologia. Resta comunque vero, in ultima analisi, che è soprattutto l'anima umana a rispecchiare il Dio trino, in virtù delle sue tre facoltà, che la rendono sua immagine; ed è appunto sulla nozione di *imago Dei* che si fonda anche la possibilità di definire l'uomo *capax Dei*.

Questa espressione, che Bonaventura trae da Agostino[75] e che nell'*Itinerarium* è da lui significativamente applicata alla memoria in quanto sede delle conoscenze innate e capace perciò di avere Dio costantemente presente a sé[76], può essere legittimamente intesa sia nel senso, passivo, di capacità dell'uomo di recepire Dio, sia in quello, attivo, di possibilità per l'uomo di progredire fino a rendersi pienamente simile a Lui. In questo secondo senso, la capacità dell'uomo di configurarsi al Dio trino si salda con la sua condizione itinerante: l'uomo tende a Dio, perché si trova in uno stato di indigenza, ma anche perché è uscito dalle sue mani e ne porta quindi in sé l'immagine, destinata a trasformarsi, grazie appunto al suo essere *capax Dei*, nella piena somiglianza con Dio. Sotto questo aspetto, l'*imago*, costitutiva dell'anima umana, non costituisce il termine ultimo a cui può pervenire la creatura razionale, ma deve compiersi nella *similitudo*, condizione che esprime un più stretto rapporto con Dio nella conoscenza e nell'amore e che implica anch'essa una cooperazione divina. L'*ima-*

go, perciò, non va intesa come qualcosa di statico, bensì
dinamicamente, quale nucleo originario di un lungo *iter*
di trasformazione dell'essere umano e di progressiva attuazione della sua *capacitas Dei*[77].

Il primo passo in questa direzione viene compiuto
quando Dio è contemplato non più *attraverso* le tre facoltà della *mens* ma *in* esse; si tratta di un passaggio che
è reso possibile dall'azione delle virtù teologali, che purificano, illuminano e rendono perfetta l'anima umana,
restaurando così l'immagine divina deformata dalla colpa[78]. In altre parole, in questa tappa dell'itinerario sono
sempre le facoltà dell'anima a indirizzare l'uomo a Dio,
ma appunto dopo essere state riplasmate dalla fede, dalla speranza e dalla carità, ossia dopo che la capacità di
aprirsi al divino, che esse esprimono, si è maggiormente
adeguata al suo oggetto infinito.

Bonaventura parla espressamente, a riguardo di questa azione sull'anima da parte delle tre virtù teologali, di
una nuova sensibilità, di una sensibilità spirituale, che si
aggiunge, per così dire, a quella prodotta in essa
dall'esercizio dei cinque sensi: «l'anima che crede, spera
e ama Gesù Cristo, [...] riacquista l'udito e la vista dello
spirito: l'udito, per accogliere le parole di Cristo; la vista, per considerare lo splendore della sua luce. [...]
Riacquista, per mezzo dell'ardore del desiderio, l'olfatto dello spirito. [...] Riacquista il gusto e il tatto dello
spirito. Riacquistati questi sensi spirituali, l'anima, mentre vede, sente, coglie il profumo, gusta e abbraccia il
suo sposo, può cantare come la sposa del Cantico dei
Cantici»[79].

Così rinnovato, lo spirito umano è reso «hierarchi-
cus», ossia capace di aprirsi all'ulteriore azione della
grazia, che lo rende idoneo a compiere quelle operazioni
spirituali che sono proprie, nella Gerusalemme celeste,
appunto delle nove gerarchie angeliche; in tal modo,
«esso [...] viene interiormente disposto ad annunciare,
dettare, guidare, ordinare, rinvigorire, comandare, rice-

vere, rivelare, consacrare»[80], e, attraverso questi nuovi
doni, a contemplare Dio nello specchio costituito dalla
propria realtà purificata, illuminata e resa perfetta dalla
grazia.

In questa tappa, quindi, lo sforzo ascensivo dell'anima è sostenuto soprattutto dalla Sacra Scrittura, così come nella precedente era stato sorretto dalla filosofia. È
infatti la Scrittura, che «ha per oggetto principalmente
l'opera della redenzione»[81], ad informare l'uomo dell'insieme dei mezzi salutari (virtù teologali, atti ordinati
dell'anima), mediante i quali la grazia lo rinnova; ed è
ancora la Scrittura a insegnargli attraverso i suoi contenuti e, ancor più, attraverso i suoi tre sensi spirituali
(tropologico, allegorico, anagogico) il modo in cui egli
può precisamente essere purificato, illuminato e reso
perfetto[82].

Come si vede, la prospettiva antropologica bonaventuriana sembra privilegiare soprattutto gli aspetti della
intenzionalità e del dinamismo. Definire l'uomo *imago
Dei* (e non semplice *vestigium*) significa sottolinearne
non solo l'eccellenza e la centralità tra le creature[83], ma
anche la capacità di relazionarsi a Dio a partire dalla
struttura stessa del suo essere e il suo aprirsi costitutivamente, ossia proprio perché *imago Dei*, a nuove perfezioni, alla piena *similitudo* col divino. L'uomo si configura, in tal modo, come un essere segnato da una vivissima
tensione escatologica, come un progetto tendente alla
sua compiuta attuazione; se, come si è detto, la ricerca
da lui intrapresa del Dio trino non è che la risposta al
suo appello, tale appello appare inscritto nell'essere
umano sin dall'atto della sua creazione.

5. *Dio rivela all'uomo il proprio mistero*

Dopo avere contemplato Dio fuori di se stessa e in se
stessa, l'anima del *viator* deve sforzarsi, elevandosi al di

sopra di se stessa, di contemplarLo nella sua realtà. L'analogia istituita da Bonaventura, all'inizio del capitolo V dell'*Itinerarium*, fra le tre tappe in cui si articola l'opera – *speculatio* di Dio nel mondo esterno, nell'anima, nelle perfezioni di Lui – e le tre parti, via via più interne e segrete, del tempio di Gerusalemme – atrio, Santo o Santuario, Santo dei Santi[84] –, consente di leggere questo percorso come una progressiva penetrazione dell'anima nella profondità del mistero divino. Ma, a ben vedere, esso si configura anche, e forse soprattutto, come un suo progressivo aprirsi a tale mistero.

In questa tappa dell'itinerario, infatti, come Bonaventura significativamente rileva, si deve ricorrere a «quella luce che è impressa nella nostra anima e che è la luce della Verità eterna»[85], ossia a ciò che, secondo quanto si è detto, rende l'anima umana precisamente *imago Dei*. In essa il punto di partenza è in effetti costituito da quanto Dio stesso ha rivelato di sé attraverso i nomi – «Essere» e «Bene» – che si è dato rispettivamente nell'Antico e nel Nuovo Testamento[86].

Consideriamo innanzi tutto il primo di questi nomi divini. Come si è visto, l'intelletto umano non potrebbe sapere che gli enti, che esso conosce, sono limitati e manchevoli, se non avesse alcuna nozione dell'ente assolutamente perfetto[87]. Ma quest'ultimo, precisa ora Bonaventura, è il puro essere: «l'essere stesso è in sé certissimo, a tal punto che non è possibile pensarlo non esistente, poiché l'essere purissimo implica la totale esclusione del non-essere, così come il nulla implica la totale esclusione dell'essere. [...] Se dunque il non ente può venire compreso soltanto mediante l'ente, e l'ente in potenza soltanto mediante l'ente in atto, e l'essere designa lo stesso atto puro di essere, ne segue che l'essere è ciò che per primo si fa presente all'intelletto, e questo essere è atto puro»[88].

Per Bonaventura, in altre parole, una qualche nozione del puro essere, di Dio, è implicita in ogni altra nozione, benché l'intelletto si avveda di essa solo in un secondo momento, attraverso la conoscenza degli enti empirici. Si tratta di una nozione innata alla mente umana e che, pur non identificandosi con Dio, ne costituisce in noi un riflesso. Anche in questa fase del suo itinerario l'anima si muove, dunque, all'interno dello spazio tracciato dalla iniziativa divina, non solo nel senso che è Dio, mediante la sua luce, a rendere possibile ogni atto conoscitivo di essa, ma anche nel senso che è grazie alla sua rivelazione che diviene pienamente chiaro all'anima quel patrimonio di verità di cui da sempre è portatrice.

Si spiega, in tal modo, il fatto che Bonaventura richiami, da un lato, il contenuto della Scrittura – la rivelazione da parte di Dio a Mosè del proprio nome «Essere» (cfr. Es. 3,14) – e analizzi con cura, dall'altro, sulla scia di suggestioni platoniche e aristoteliche[89], le articolazioni logiche della nozione di essere come oggetto primo dell'intelletto; egli intende suggerire che quanto la riflessione filosofica ha faticosamente raggiunto a questo riguardo diviene pienamente significativo per l'intelletto umano soltanto ad opera della rivelazione. Esso, infatti, «abituato alla tenebra degli enti particolari e alle immagini delle realtà sensibili, quando fissa lo sguardo sulla luce dell'essere sommo ha l'impressione di non vedere alcunché, non comprendendo che proprio quella somma tenebra è la luce della nostra anima»[90].

Senza farci conoscere Dio in se stesso, la nozione di essere consente perciò di accertarci in modo indubitabile della sua esistenza e di una serie di prerogative culminanti nell'attributo dell'unità. Come Bonaventura afferma espressamente, non si può pensare che l'essere purissimo «abbia ricevuto l'essere da un altro; e perciò lo si deve pensare necessariamente come assolutamente primo, poiché non può derivare né dal nulla né da qualche altro essere. Che cosa, infatti, potrebbe esistere per sé, se l'essere stesso non esistesse per sé e da sé?»[91].

Dal riconoscimento dell'essere purissimo come *per sé*

e *da sé* segue perciò il suo non dipendere o derivare dall'essere (nel qual caso già sarebbe e dunque non potrebbe né dipendere né derivare) e neppure dal non-essere (che appunto non è); esso è perciò assolutamente primo, ingenerato, incorruttibile, eterno. Proprio per questo non può avere in sé alcuna composizione, potenza o imperfezione, né qualcosa di diverso da sé, ma deve essere in sommo grado semplice, in atto, perfetto, uno: «per cui, se Dio è il nome dell'essere primo, eterno, assolutamente semplice, totalmente in atto, perfettissimo, è impossibile pensare che non sia o che non sia uno solo»[92].

Se la contemplazione del primo nome di Dio – «Essere» – getta luce sulle perfezioni dell'essenza del Dio-uno, quella del suo secondo nome – «Bene» – illumina sulla sovrabbondante capacità di donazione che è all'origine del Dio-trino.

Introdotta dalla citazione del noto assioma dionisiano «bonum dicitur diffusivum sui»[93] – che spiega come Dio, Bene sommo, possa comunicarsi totalmente in se stesso nel mutuo rapporto del Padre, del Figlio e dello Spirito Santo, e fuori di se stesso, nella creazione –, la dottrina trinitaria esposta nell'*Itinerarium* si configura in realtà come assai diversa da quella di Dionigi[94]. In quest'ultimo, infatti, la pluralità delle persone riguarda solo Dio in se stesso e non in rapporto agli esseri che da Lui derivano, laddove per Bonaventura ogni persona divina, proprio perché si distingue per il modo di ricevere, di possedere e di trasmettere l'essenza comune e, quindi, per le sue proprietà, si distingue anche per il suo modo di rapportarsi alle creature.

Pur operando ogni persona insieme con le altre «grazie all'assoluta indivisibilità della sostanza, della potenza e dell'operare»[95], resta vero che il Padre è il principio «che è comunicazione pienissima di se stesso» e che si pone perciò all'origine delle persone del Figlio e dello Spirito Santo e, mediante esse, dell'intera realtà; il Figlio è il «Verbo, nel quale sono espresse tutte le cose»; lo Spirito Santo, infine, è il «Dono, nel quale sono donati tutti gli altri doni»[96], e appunto «mentre Figlio e Spirito significano solo la proprietà delle persone, cioè la loro relazione d'origine, Verbo e Dono hanno per noi il vantaggio di designare sia questo significato principale, sia la loro relazione abituale con le creature»[97].

In altre parole, se la creazione si fonda sull'essere trino di Dio[98], le tre persone si rapportano ad essa secondo la posizione e le proprietà tipiche di ciascuna; il Padre, come pienezza fontale del Bene, è il principio del suo diffondersi, nel tempo, nelle creature; conoscendosi mediante il Figlio, in Lui le esprime e le conosce; spirando lo Spirito Santo nell'amore reciproco che lo lega al Figlio, le ama in questo amore e mediante questo amore[99].

Ma il dinamismo del Dio trino nei confronti della realtà creata non si arresta alla sua produzione; esso trova il proprio compimento nella incarnazione del Verbo, nella quale è divenuto visibile l'invisibile mistero trinitario, resosi totalmente presente all'uomo nell'uomo Gesù Cristo, in cui sono congiunti insieme «il primo e l'ultimo, il sommo e l'infimo, la circonferenza e il centro, "l'alfa e l'omega", il causato e la causa, il creatore e la creatura»[100].

Il Verbo è, dunque, non soltanto il mediatore tra l'umanità e Dio, il centro (*medium*) della Trinità, la persona attraverso la quale quest'ultima si è fatta conoscere all'uomo. Egli è altresì colui che, incarnandosi, consente all'uomo di ritrovare se stesso. Nel Verbo incarnato, infatti, o, per meglio dire, nella umanità in Lui così mirabilmente esaltata e così ineffabilmente unita al divino[101] il *viator* può contemplare in pienezza ciò che egli autenticamente è e non ha mai cessato di essere nonostante il peccato, ossia una immagine di Dio, e ciò che l'uomo era in origine, prima che il peccato lo corrompesse, e che può ritornare ad essere, quando appunto la sua anima venga informata dalla grazia, cioè una similitudine di

Dio. Con significativa insistenza Bonaventura sottolinea, infatti, le analogie tra questa sesta tappa dell'itinerario e il sesto giorno della creazione, quello appunto in cui l'uomo è stato creato da Dio a sua immagine e somiglianza, tale da rispecchiarne compiutamente le perfezioni sia nell'anima sia nel corpo[102].

Con la sua incarnazione il Verbo ripristina perciò l'umanità nella condizione precedente il peccato di Adamo[103] e, contemplandola, l'uomo giunge al termine della propria ricerca di sé e di Dio; avendo ritrovato se stesso, egli ha ritrovato, nella costitutiva capacità di rifletterLo e di aprirsi a Lui, anche Dio[104].

6. L'incontro mistico con Dio

Contemplati gli *essentialia Dei*[105], non resta all'anima del *viator* che trascendere se stessa per compiere la sua pasqua, ossia per passare a Dio, che ha con perseveranza cercato[106]; qui essa trova il proprio riposo[107], che anticipa, per quanto è possibile nella condizione di pellegrini, il sabato senza occaso della vita futura[108], e in questo passaggio, proprio come all'inizio del suo itinerario, è ancora Cristo ad esserle «via e porta», «scala e veicolo»[109].

Come si è più volte detto, è sempre l'iniziativa divina a rendere possibile, nelle sue diverse fasi, il cammino dell'uomo a Dio; dapprima condotto come per mano attraverso le realtà sensibili e quelle interne alla sua anima[110]; successivamente messo dinanzi agli *invisibilia*, che Dio gli rivela per mezzo dei propri nomi e che lo spingono a una incessante ammirazione[111], l'uomo è costantemente sollecitato, per così dire, dal dinamismo divino.

Più ancora che nelle precedenti tappe dell'*Itinerarium*, in quest'ultima è soprattutto Dio ad avere l'iniziativa e l'uomo collabora ad essa non più attraverso l'operare delle diverse facoltà della sua anima – poste ormai di fronte a realtà che eccedono la loro capacità[112] –, ma per mezzo del totale abbandono a Dio nell'*affectus*, della piena disponibilità ad aprirsi al suo mistero e al dono della sua potenza[113], concedendo «poco alla ricerca e moltissimo alla compunzione; poco al linguaggio esteriore e moltissimo alla letizia interiore; poco alla parola e allo scritto e tutto al dono di Dio, cioè allo Spirito Santo; poco o nulla alla creatura e tutto all'Essenza creatrice, al Padre, al Figlio e allo Spirito Santo»[114].

In altre parole, se tutte le facoltà dell'anima sono state via via impegnate nelle precedenti fasi dell'ascesa, in questa tutte devono essere messe da parte. L'unione mistica con Dio si compie nella tenebra e nel silenzio, come Bonaventura ricorda espressamente, citando un testo del *De mystica theologia* di Dionigi, né alcuno ne ha conoscenza, se non chi la sperimenta[115]. Più che di tentarne una qualche descrizione, Bonaventura si preoccupa perciò di presentarla come la suprema apertura di Dio all'uomo, nella quale appunto si rende visibile attraverso Cristo crocifisso la via al mistero divino.

Anche alla luce della sua ultima tappa, l'itinerario dell'uomo a Dio si configura, quindi, come l'incontro di un duplice dinamismo e di una duplice volontà di apertura. Al dinamismo fontale di Dio – che si manifesta nella creazione, nella redenzione, nella donazione di grazia – fa riscontro quello dell'uomo, significativamente espresso da Bonaventura attraverso una sorta di «lessico dell'ascesa»[116]; alla originaria volontà di apertura da parte di Dio – che, tutto donando, in tutto si dona sino a dare se stesso in modo immediato nell'estasi mistica – corrisponde l'aprirsi dell'uomo a Dio nella preghiera, nella considerazione attenta di ogni realtà, nello slancio affettivo con cui si abbandona alla sovrabbondante ricchezza del suo amore.

7. Considerazioni conclusive

Nell'*Itinerarium*, che è la sua opera più caratteristica, paragonabile per l'intrecciarsi di preghiera e ragionamento al *Proslogion* di Anselmo d'Aosta[117], Bonaventura ha messo a punto, come si è visto, all'interno di una efficace sintesi del proprio pensiero, una serie di prospettive sull'uomo e sul mondo che appaiono particolarmente stimolanti per chi oggi affronti la lettura di questo testo.

È significativo, innanzi tutto, che egli abbia posto, al centro della propria indagine, «il concreto ed effettivo uomo della storia, [...] l'uomo reale e non l'"uomo naturale", cioè non l'uomo visto indipendentemente dalla sua vocazione soprannaturale e dall'azione della grazia soprannaturale»[118]. È, infatti, in questo orizzonte che si comprendono le considerazioni bonaventuriane sull'*homo viator* strutturalmente aperto e ordinato a Dio, come suo interlocutore privilegiato, anche se spesso incapace, a motivo della debolezza conseguente alla colpa originale, di ritrovarne le tracce nel mondo fenomenico[119] e in se stesso[120]. Come Bonaventura aveva rilevato già nella *Lectura super Sententias*, ciò che caratterizza la condizione umana, in seguito al peccato di Adamo, è appunto il suo inquieto e incessante cercare e non trovare quel bene infinito, di cui essa è stata privata, e quindi il suo smarrirsi in «infinitae quaestiones»[121]. E tuttavia, proprio questa instancabile ricerca, che nulla di creato può soddisfare[122], rivela la vocazione soprannaturale dell'uomo, il suo costitutivo tendere al di là del finito.

La via di uscita da questa condizione di *inquietudo* è costituita, come si è detto, dalla grazia offerta da Dio in Cristo e per tale motivo Bonaventura ammonisce l'uomo a non confidare esclusivamente nelle proprie risorse e capacità[123] e, in particolare, a non assolutizzare il contributo che il sapere filosofico può fornire ai problemi di fondo dell'esistere. L'insistenza sui limiti della filosofia, che diverrà sempre più chiara e marcata negli ultimi scritti bonaventuriani[124], e sulla esigenza per essa di aprirsi alla illuminazione di un sapere più alto, non mira a sottolineare una presunta imperfezione intrinseca alla ragione umana, tale da comprometterne l'esercizio nel suo specifico ambito, quanto piuttosto a evidenziare come essa, senza l'aiuto della rivelazione, non possa accertarsi di ciò che eccede le sue capacità naturali e come sia quindi illusoria ogni sua pretesa all'autosufficienza in questo campo.

Bonaventura, in altre parole, non intende negare la ricchezza e la validità dei risultati cui la conoscenza filosofica è in grado di pervenire nei diversi settori che le competono. Anzi, proprio perché consapevole delle sue grandi potenzialità, egli si preoccupa di mettere in guardia contro il pericolo di chiedere alla filosofia più di quanto essa possa effettivamente dare, ovvero di credere che essa costituisca *tutto* il sapere e sia in grado di fornire una risposta ad ogni interrogativo umano.

Come si è visto, anche nell'*Itinerarium* il contributo del sapere filosofico all'ascesa a Dio, pur assai importante, non è certamente esclusivo ed è costantemente bilanciato dall'accento posto sia sulla necessità, per l'uomo, della preveniente azione salvifica divina sia sulle insuperabili difficoltà che la ragione, abbandonata alle sue sole forze, incontra in determinate tappe del suo cammino[125].

Va infine ricordato quanto Bonaventura afferma a proposito della capacità del mondo creato di orientare l'uomo alla divinità. Per lui, come per Francesco d'Assisi, esso «porta significatione»[126] di Dio e non è quindi un mero complesso di cose da sfruttare ma una realtà da rispettare per la sua sacralità. Proprio per questo chi profana il mistero del mondo, chi non riconosce il suo carattere di vestigio divino ne scatena la rivolta e fa della propria personale negazione di Dio un evento, per così

dire, cosmico: «apri, dunque, i tuoi occhi, tendi le orecchie del tuo spirito, apri le tue labbra e disponi il tuo
cuore in modo da poter vedere, sentire, lodare, amare e
adorare, glorificare e onorare il tuo Dio in tutte le creature, affinché l'universo intero non insorga contro di te»[127].

LETTERIO MAURO

NOTE ALL'INTRODUZIONE

[1] Cfr. J. Le Goff, *L'uomo medievale*, trad. it. in AA.Vv., *L'uomo medievale*, Roma-Bari 1987, pp. 1-38.

[2] Cfr. *Conf.* I 1.

[3] Cfr. C. Vasoli, *L'Itinerarium nel pensiero di san Bonaventura e nella filosofia del suo tempo*, in Atti del «Symposium» sull'*Itinerarium mentis in Deum* di san Bonaventura (La Verna, 14-17 settembre 1988), in «Studi francescani», 85 (1988), pp. 249-261.

[4] Si veda, al riguardo, G. Miccoli, *I monaci*, in *L'uomo medievale* cit., pp. 41-80.

[5] Cfr., su questo punto, J. Leclercq, *Cultura umanistica e desiderio di Dio. Studio sulla letteratura monastica del Medio Evo*, trad. it., Firenze 1983 (in particolare, pp. 29-42; 63-89).

[6] Cfr. A. Vauchez, *La spiritualità dell'occidente medioevale*, trad. it., Milano 1978, pp. 117-163.

[7] *Ivi*, p. 184.

[8] Cfr. E. Gilson, *Saint Bernard. Un itinéraire de retour à Dieu*, Paris 1964.

[9] Cfr. A. Vauchez, *La santità nel Medioevo*, trad. it., Bologna 1989, pp. 378-379.

[10] Tommaso da Celano, *Leggenda seconda*, p. II, cap. 51, trad. it. di F. Casolini, Quaracchi-Milano 1923, p. 233.

[11] Cfr. Stanislao da Campagnola, *L'Angelo del sesto sigillo e l'«alter Christus»*, Roma 1971.

[12] *Itin.* VII 3.

[13] Cfr. *ivi* prol. 2; VII 3. Si veda al riguardo J.G. Bougerol, *Introduzione a San Bonaventura*, trad. it., Vicenza 1988, pp. 213-217.

[14] Cfr. J.G. Bougerol, *L'aspect original de l'Itinerarium mentis in Deum et son influence sur la spiritualité de son temps*, in «Antonianum», 52 (1977), pp. 309-325; Id., *Saint Bonaventure de Bagnoregio homme de culture*, in *Francescanesimo e cul-*

tura universitaria, Perugia 1990, pp. 137-156; G. Miccoli, *Bonaventura e Francesco*, in *Francesco d'Assisi. Realtà e memoria di un'esperienza cristiana*, Torino 1991, pp. 281-302.

[15] Cfr. *Itin.* prol. 3.

[16] Si veda su questo punto S. Schmidt, *Christus als «scala nostra». Christozentrische Aspekte im «Itinerarium mentis in Deum» des heiligen Bonaventura*, in «Franziskanische Studien», 75 (1993), pp. 243-338.

[17] *Itin.* VII 1.

[18] *Ibid.*

[19] Cfr. *Itin.* I 3.

[20] *Ivi* I 7.

[21] Cfr. *ivi* I 8.

[22] Cfr. *ivi* prol. 3.

[23] Su questo punto mi permetto di rinviare a quanto ho scritto nei seguenti saggi: *«Meditatio» e cultura come preparazione all'ascesa a Dio in san Bonaventura*, in *San Bonaventura maestro di vita francescana e di sapienza cristiana*, Atti del Congresso internazionale per il VII centenario di san Bonaventura da Bagnoregio, III, Roma 1976, pp. 51-62; *Bonaventura da Bagnoregio. Dalla «philosophia» alla «contemplatio»*, Genova 1976, pp. 193-215.

[24] Cfr. J. Leclercq, *Études sur le vocabulaire monastique du Moyen Age*, Roma 1961, pp. 134-136.

[25] *De mysterio Trinitatis* q. 1, a. 1 concl. (in *Opera* cit., V 49; per l'edizione seguita nella citazione dei testi bonaventuriani diversi dall'*Itinerarium* si veda quanto indicato nella *Nota editoriale* a p. 47): «Deum esse est verum indubitabile, quia sive intellectus ingrediatur intra se, sive egrediatur extra se, sive aspiciat supra se; si rationabiliter decurrit, certitudinaliter et indubitanter Deum esse cognoscit».

[26] Cfr. *Itin.* I 2-4.

[27] Cfr. B. Mc Ginn, *Ascension and Introversion in the «Itinerarium mentis in Deum»*, in *S. Bonaventura 1274-1974*, III, Grottaferrata 1973, pp. 335-352.

[28] Cfr. C. N. Foshee, *Saint Bonaventure and the Augustinian Concept of «Mens»*, in «Franciscan Studies», 27 (1967), pp. 163-175.

[29] *Itin.* I 2.

[30] Questo triplice grado di partecipazione a Dio è ricordato da

Bonaventura in vari testi: *In II Sentiarum* d. 16, a. 1, q. 1 (in
Opera cit., II 394-395); *De scientia Christi*, q. 4 concl. (*ivi* V
24); *Sermo Christus unus omnium magister* 16-17 (*ivi* V 571-
572); *Breviloquium* p. 2, c. 12, n. 1 (*ivi* V 230).
[31] Cfr. H. Blumenberg, *La leggibilità del mondo*, trad. it., Bologna 1984.
[32] *Itin.* I 11.
[33] Cfr. Ugo di San Vittore, *De tribus diebus* (PL 176, 811-838).
Per la tematica qui considerata sono particolarmente importanti i capitoli IX-XV (*ivi*, 819-823).
[34] Cfr. *Itin.* I 14.
[35] Cfr. *ibid.*
[36] *Ibid.*
[37] Francesco d'Assisi, *Laudes creaturarum*, vv. 6, 8, 10-11, 19.
[38] Cfr. *Itin.* I 14.
[39] Cfr. P. Michaud-Quantin, *Les six lumières de la connaissance humaine. De reductione artium ad theologiam*, Paris 1971,
p. 26. La funzione svolta dalla luce nelle realtà create è ricordata da Bonaventura anche in *Itin.* II 2, dove egli menziona la
capacità che essa ha di conciliare «i contrari nei corpi misti».
Predisponendo la materia – già determinata come qualcosa di
corporeo e di esteso dalla *forma corporeitatis* – a ricevere altre
forme, che la qualificheranno sempre più perfettamente, la luce pone, quindi, le condizioni perché essa possa specificarsi
come *questo* corpo concreto, risultante appunto da una pluralità di proprietà, di perfezioni, ad ognuna delle quali corrisponde una diversa forma sostanziale. Queste tesi portano ad
affermare la presenza in ogni essere di una pluralità di forme
sostanziali coordinate, dottrina che Bonaventura condivide
con la maggioranza degli autori del suo tempo e che, qui solo
suggerita, viene da lui più chiaramente formulata ad esempio
nelle *Collationes in Hexaëmeron* (cfr. coll. 1, 18; coll. 4, 10 in
Opera cit., V 332; 350-351). Come è noto, su questo punto, la
sua posizione diverge nettamente da quella di Tommaso
d'Aquino, che sostiene, per contro, con chiarezza e decisione
la dottrina della unicità della forma sostanziale. Al riguardo
cfr., tra gli altri, R. Zavalloni, *Richard de Mediavilla et la con-
troverse sur la pluralité des formes*, Louvain 1951; D.A.
Callus, *The Problem of the Plurality of Forms in the Thirteenth
Century. The Thomist Innovation*, in *L'homme et son destin*

d'après les penseurs du Moyen Age, Actes du premier Congrès international de philosophie médiévale, Louvain-Paris 1960, pp. 577-585.

[40] *Itin.* prol. 1. Si tratta di un versetto utilizzato frequentemente da Bonaventura: confronta, ad esempio, *Breviloquium* prol. 2; p. 5, c. 1, n. 2; p. 5, c. 10, n. 2 (*Opera* cit., V 201, 252, 263-264); *De reductione artium ad theologiam* 1 e 5 (*ivi*, V 319, 321). Per un'ampia esposizione della dottrina bonaventuriana della luce si veda *In II Sententiarum* d. 13, a. 2, qq. 1-2 (*ivi*, II 317-322).

[41] *Itin.* I 14.

[42] Per una esposizione della dottrina agostiniana sulle *rationes seminales* cfr. E. Gilson, *Introduzione allo studio di Sant'Agostino*, trad. it., Casale Monferrato 1983, pp. 235-238.

[43] Cfr. al riguardo M. Pohlenz, *La Stoa*, I-II, trad. it., Firenze 1978, *passim*. Sulla utilizzazione di questa dottrina da parte dei pensatori cristiani antichi si veda M. Spanneut, *Le stoïcisme des pères de l'Église*, Paris 1956, pp. 316-319 e *passim*.

[44] Cfr. *In II Sententiarum* d. 7, p. II, a. 2, q. 1 (*Opera* cit., II 196-199).

[45] *Itin.* II 12.

[46] *Itin.* I 14.

[47] Cfr. *ibid.* Al riguardo si veda W. Rauch, *Das Buch Gottes. Eine systematische Untersuchung des Buchbegriffes bei Bonaventura*, München 1961.

[48] *Itin.* II 1.

[49] *Ivi* II 7.

[50] *Ivi* II 8.

[51] Cfr. al riguardo A. Solignac, *Connaissance humaine et relation à Dieu selon saint Bonaventure* (*De sc. Chr.*, q. 4), in *S. Bonaventura* cit., III, pp. 393-405 (in particolare, pp. 394-396).

[52] Cfr. *De vera religione* 40,74-76 (PL 34,155-156); *De musica* VI (PL 32, 1161-1194).

[53] *Itin.* II 10.

[54] *Ibid.*

[55] *Itin.* I 2.

[56] Cfr. S. Zincone, *Il tema della creazione dell'uomo a immagine e somiglianza di Dio nella letteratura cristiana antica fino ad Agostino*, in «Doctor Seraphicus», 37 (1990), pp. 37-51.

[57] Cfr. R. Javelet, *Image et ressemblance au douzième siècle. De Saint Anselme à Alain de Lille*, I-II, Paris 1967; Id., *Image et ressemblance aux 11ᵉ et 12ᵉ siècles*, in *Dictionnaire de spiritualité*, VII/2, Paris 1971, pp. 1426-1434.

[58] I testi su questo tema di Giovanni di Rupella e della *Summa Halensis* sono analizzati e commentati in F. Chavero Blanco, *Imago Dei. Aproximación a la antropología teológica de san Buenaventura*, Murcia 1993, pp. 106-117; si veda anche A. Solignac, *Image et ressemblance dans l'école franciscaine*, in *Dictionnaire de spiritualité* cit., VII/2, pp. 1437-1444. J.G. Bougerol (*Introduzione* cit., pp. 79-80 e nota 23) ha dimostrato come sulla tesi bonaventuriana dell'uomo *imago Dei* abbia influito anche l'opuscolo pseudo-agostiniano *De spiritu et anima*.

[59] Cfr. *In II Sententiarum* d. 16 (*Opera* cit., II 393-408).

[60] Cfr., tra gli altri, A. Solignac, *L'homme image de Dieu dans la spiritualité de saint Bonaventure*, in *Contributi di spiritualità bonaventuriana*, I, Padova 1974, pp. 77-102; Chavero Blanco, *Imago Dei* cit., pp. 41-103; L. Mathieu, *La Trinità creatrice secondo san Bonaventura*, trad. it., Milano 1994, pp. 203-248.

[61] *Itin.* III 1.

[62] Giac. 1,17 citato in *Itin.* prol. 1.

[63] *De scientia Christi* q. 4 (*Opera* cit., V 17-27).

[64] *Itin.* III 2.

[65] *Ibid.*

[66] *Ibid.*

[67] *Itin.* III 3.

[68] *Ibid.*

[69] Cfr. Solignac, *Connaissance humaine* cit., pp. 394-395.

[70] *Itin.* III 4.

[71] *Itin.* III 5.

[72] *Ibid.*

[73] *Itin.* III 6.

[74] Cfr. Ch. Wenin, *Les classifications bonaventuriennes des sciences philosophiques*, in AA.Vv., *Scritti in onore di Carlo Giacon*, Padova 1972, pp. 189-216.

[75] *Breviloquium* p. 2, c. 9, n. 4 (*Opera* cit., V 227). Cfr. *De Trinitate* XIV 8, 11 (PL 42, 1044); su questo tema in Agostino si veda Ch. Boyer, *L'image de la Trinité, synthèse de la pensée augustinienne*, in «Gregorianum», 27 (1946), pp. 173-199; 333-352.

[76] *Itin.* III 2. Sulla nozione di memoria in Bonaventura si veda, tra gli altri, A. Solignac, *«Memoria» chez saint Bonaventure*, in *Bonaventuriana. Miscellanea in onore di Jacques Guy
Bougerol ofm*, II, Roma 1988, pp. 477-492.
[77] Cfr. Solignac, *Connaissance humaine* cit., p. 400; Chavero
Blanco, *Imago Dei* cit., pp. 117-127.
[78] Cfr. *Itin.* IV 1-3.
[79] *Itin.* IV 3. Cfr. al riguardo K. Rahner, *La doctrine des sens
spirituels au Moyen Age, en particulier chez saint Bonaventure*,
in «Revue d'Ascétique et de Mystique», 14 (1933), pp. 263-
299.
[80] *Itin.* IV 4.
[81] *Ivi* 5.
[82] Cfr. *ivi* 6.
[83] Cfr. A. Schaefer, *The position and function of man in the
created world according to Saint Bonaventure*, in «Franciscan
Studies», 20 (1960), pp. 261-316; 21 (1961), pp. 233-382; Id.,
Der Mensch in der Mitte der Schöpfung, in *S. Bonaventura* cit.,
III, pp. 337-392 (in particolare pp. 342-377).
[84] *Itin.* V 1. Cfr. *ivi* III 1. Il riferimento è a Es. 26,34 ss.
[85] *Itin.* V 1.
[86] *Ivi* V 2. I riferimenti sono a Es. 3,14 e a Lc. 18,19.
[87] Cfr. *Itin.* III 3.
[88] *Ivi* V 3.
[89] Cfr. E. Berti, *Aristotelismo e antiaristotelismo in
Bonaventura, Itin. 5*, in «Doctor Seraphicus», 40-41 (1993-
1994), pp. 7-16.
[90] *Itin.* V 4.
[91] *Ivi* V 5. Delle tre vie, che conducono ad accertarsi dell'esistenza di Dio, analizzate da Bonaventura nella q. 1, a. 1 *De
mysterio Trinitatis* (che costituisce il suo testo più ampio
sull'argomento, cfr. *Opera* cit., V 45-51), l'*Itinerarium* ripro-
pone quella tratta dalla considerazione del mondo creato e
quella che muove, sulla scia dell'argomento anselmiano del
Proslogion, dalla nozione stessa di Dio. Caratteristico dell'*Itinerarium* è, però, il tentativo di fondare tali vie su una ben
precisa teoria della conoscenza intellettiva, quella esposta appunto nel capitolo III dell'opera, e secondo la quale in ogni
concetto è implicita una certa nozione dell'essere puro ossia
di Dio. In realtà Bonaventura è persuaso che, proprio per

questo, l'esistenza di Dio sia una verità immediatamente evidente e che l'uomo non abbia al riguardo bisogno di prove ma solo di integrare la nozione virtuale di Dio che è in lui. L'unico motivo per il quale egli ritiene di dover fornire delle "dimostrazioni" della esistenza di Dio è la mancata considerazione da parte dell'uomo degli innumerevoli segni che, in lui e fuori di lui, attestano tale evidenza. Cfr. su questo punto *De mysterio Trinitatis* q. 1, a. 2, ad 12 (*Opera* cit., V 51).

[92] *Itin.* V 6.

[93] Si tratta della traduzione latina, divenuta usuale nel secolo XIII (cfr. Mathieu, *La Trinità* cit., pp. 31-32), dell'affermazione dionisiana (*De divinis nominibus* 4, 1), secondo cui il Bene « in quanto Bene sostanziale, diffonde la sua bontà in tutti gli esseri» (cfr. Dionigi Areopagita, *Tutte le opere*, trad. it. di P. Scazzoso, Milano 1981, p. 293). Sulla presenza di questo testo in Bonaventura cfr. Bougerol, *Introduzione* cit., pp. 83-84.

[94] Cfr. J. G. Bougerol, *Saint Bonaventure et le Pseudo-Denys l'Aréopagite*, in *Actes du Colloque Saint Bonaventure*, «Études Franciscaines», suppl. 18 (1968), pp. 33-123, ora anche in Id., *Saint Bonaventure: Études sur les sources de sa pensée*, Northampton 1989, pp. 33-123 (in particolare pp. 117-118); M. Schmaus, *Neuplatonische Elemente im Trinitätsdenken des Itinerarium Bonaventuras*, in *S. Bonaventura* cit., II, Grottaferrata 1973, pp. 45-69.

[95] *Itin.* VI 2.

[96] *Ibid.* Su Cristo come parola ispirata del Padre, per mezzo della quale tutte le cose sono rivelate, cfr. P. Maranesi, *Formazione e sviluppo del concetto di «Verbum inspiratum» in san Bonaventura*, in «Collectanea Franciscana», 64 (1994), pp. 5-87.

[97] Mathieu, *La Trinità* cit., p. 101.

[98] Cfr. *Itin.* VI 2. Sulla correlazione tra mistero trinitario e creazione si veda Mathieu, *La Trinità* cit., pp. 56-58.

[99] Sulle diverse modalità con cui le tre persone divine si rapportano alla creazione si veda quanto osserva Mathieu, *La Trinità* cit., pp. 103-149; 155-177.

[100] *Itin.* VI 7. Cfr. *ivi* VI 5.

[101] Cfr. *ivi* VI 7.

[102] Cfr. *ibid.* Sulla creazione dell'uomo a immagine e somiglianza di Dio cfr. *Breviloquium* p. 3, c. 6, n. 2 (V 235).

[103] Cfr. *Itin.* I 7; IV 2; IV 5.
[104] Che l'uomo sia fatto per partecipare alla bontà divina, ovvero che l'anima umana sia, come afferma Bonaventura, *forma beatificabilis* è detto in *Breviloquium* p. 2, c. 9 (*Opera* cit., V 226-227).
[105] Cfr. per questa espressione *Itin.* VI 5.
[106] Cfr. *ivi* VI 7; VII 2.
[107] Cfr. *ivi* VI 7; VII 1.
[108] Cfr. *ivi* VII 1.
[109] Cfr. *ibid.*
[110] Il verbo *manuducere* compare ripetutamente nel corso dell'analisi delle prime quattro tappe dell'itinerario dell'uomo a Dio: cfr. *Itin.* I 14; II 1; II 3; II 8; II 11; III 1; III 7; IV 7.
[111] Cfr. *Itin.* V 7; VI 3-7; VII 2. Su questo atteggiamento di ammirazione nei confronti dei diversi aspetti della realtà e della presenza divina in essi si veda inoltre *Itin.* prol. 4; II 13; III 7; IV 3.
[112] Cfr. *Itin.* VI 3; VII 1; VII 4-6.
[113] Cfr. *Itin.* VII 4-6.
[114] *Itin.* VII 5.
[115] Cfr. *ivi* VII 4.
[116] Si veda, al riguardo, la serie di sostantivi (*ascensio, ascensus, gradus, scala, via, progressus*) e di verbi (*transire, ingredi, ascendere, levare, elevare, intrare, transcendere, conscendere*) che ricorrono con particolare frequenza soprattutto in *Itin.* prol. e I 1-4.
[117] Il paragone è suggerito da S. Vanni Rovighi, *San Bonaventura*, Milano 1974, p. 40.
[118] F. Copleston, *Storia della filosofia*, II, trad. it., Brescia 1971, p. 316.
[119] Cfr. *Itin.* I 15.
[120] Cfr. *ivi* IV 1.
[121] Cfr. *In II Sententiarum* prooem. (*Opera* cit., II 5): «homo [...] infinitis quaestionibus se immiscuit».
[122] «Quoniam igitur remansit appetitus sine habitu, ideo factus est homo quaerendo sollicitus. Et quia nihil creatum recompensare potest bonum amissum, cum sit infinitum, ideo appetit, quaerit et nunquam quiescit». *Ibid.*
[123] Cfr. *Itin.* prol. 4.
[124] Cfr. ad esempio *De septem donis Spiritus Sancti*, coll. 4, 12

(*Opera* cit., V 475-476); *In Hexaëmeron*, coll. 7, 4-11 (*ivi* 366-367). Sulla valutazione che Bonaventura dà della filosofia e sul dibattito storiografico relativo a tale questione si vedano le considerazioni di Chavero Blanco, *Imago Dei* cit., pp. 243-267.

[125] Cfr. ad esempio *Itin.* IV 2; *ivi* VI 3.
[126] *Laudes* cit., v. 9.
[127] *Itin.* I 15.

CRONOLOGIA DELLA VITA
E DELLE OPERE DI BONAVENTURA

1221   Bonaventura nasce a Civita di Bagnoregio da
                Giovanni, medico, e Rutella.

1225-1235   È *puer oblatus* al convento francescano di Ba-
                gnoregio, dove riceve i primi rudimenti del sa-
                pere.

1235-1243   Frequenta a Parigi la Facoltà delle Arti.

1243   Divenuto *magister in artibus*, Bonaventura entra
                nella Facoltà parigina di Teologia; in questo
                stesso anno, e sempre a Parigi, si colloca anche
                il suo ingresso nell'Ordine francescano.

1243-1248   Studia teologia sotto la reggenza di Alessandro
                di Hales; suoi maestri sono Giovanni della Ro-
                chelle († 1245), Odo Rigaldi, Guglielmo di Me-
                litona.

1248-1250   È baccelliere biblico.

1250-1252   In qualità di baccelliere sentenziario "legge" il
                Liber Sententiarum di Pietro Lombardo. L'ordi-
                ne seguito nella *lectio* delle *Sentenze*, che darà
                vita alla *Lectura super Sententias* bonaventuria-
                na, è il seguente: I, IV, II, III.

1253-inizi 1254 Prove per il conseguimento della *licentia docen-
                di*. Tiene le *Quaestiones de scientia Christi*.

1254-1257 È maestro reggente «ad scholas fratrum». Compone in questi anni numerose e importanti opere, tra le quali le *Quaestiones de mysterio Trinitatis*, il *Breviloquium* e, quasi certamente, il *De reductione artium ad theologiam*. Si collocano in questo periodo (tra la fine del 1255 e la prima metà del 1256) anche le *Quaestiones de perfectione evangelica*, che costituiscono il suo primo, significativo intervento in difesa dell'ideale di vita degli Ordini mendicanti, duramente contestato da alcuni maestri secolari dell'Università, oppostisi anche alla effettiva integrazione dei Mendicanti nel collegio dei maestri di teologia. Il definitivo riconoscimento del titolo di *magister* a Bonaventura (e a Tommaso d'Aquino) si avrà soltanto col solenne giuramento pronunciato ad Anagni, presso la curia papale, il 23 ottobre 1256, dai secolari Cristiano di Beauvais e Eudes di Douai.

1257 Il 2 febbraio Bonaventura è eletto Ministro generale dell'Ordine minoritico, nel capitolo generale straordinario convocato e presieduto dal papa Alessandro IV presso il convento dell'Ara Coeli a Roma. Nello stesso anno lascia l'insegnamento universitario.

1259 Nell'ottobre Bonaventura si ritira in meditazione sul monte della Verna, nel Casentino, ove nel settembre del 1224 Francesco d'Assisi aveva ricevuto le stimmate, e vi concepisce il progetto dell'*Itinerarium mentis in Deum*.

1260 Capitolo generale di Narbona. In esso vengono approvate le *Constitutiones Narbonenses*, che fondono in una redazione unica e semplificata tutte le disposizioni concernenti la vita dell'Ordine, e viene dato incarico a Bonaventura di redigere una *Legenda* ufficiale di Francesco.

1263	Nel maggio, il capitolo generale di Pisa approva la *Legenda maior* scritta da Bonaventura.

1267   Nelle *Collationes de decem praeceptis* Bonaventura denuncia le gravi conseguenze provocate dal cattivo uso della filosofia da parte dei maestri della Facoltà delle Arti di Parigi, dove si sta affermando un indirizzo dottrinale di impronta fortemente razionalistica, che si ispira alla riflessione dei pensatori pagani, in particolare a quella di Aristotele.

1268   Sempre a Parigi, nelle *Collationes de septem donis Spiritus Sancti*, Bonaventura rinnova la sua polemica contro gli aristotelici della Facoltà delle Arti e replica ai nuovi attacchi rivolti dai maestri secolari agli Ordini mendicanti.

1269   *Apologia pauperum*, difesa dell'ideale di vita minoritico in risposta al *Contra adversarium perfectionis christianae* del secolare Gerardo di Abbeville.

1273   Bonaventura tiene a Parigi, dal 9 aprile al 28 maggio, una nuova serie di conferenze, le *Collationes in Hexaëmeron*, in cui mette a nudo i principali errori dell'aristotelismo, in particolare la sua negazione dell'esemplarismo. L'opera resterà incompiuta per l'elevazione di Bonaventura al cardinalato. Nel luglio accompagna il papa Gregorio X al Concilio ecumenico di Lione.

1274   Contemporaneamente al Concilio, si tiene a Lione, nel maggio, il capitolo generale straordinario dei frati Minori, nel corso del quale Girolamo d'Ascoli viene eletto Ministro generale in sostituzione del dimissionario Bonaventura. Questi, ammalatosi durante i lavori conciliari, muore il 15 luglio.

NOTA EDITORIALE

Il testo latino a fronte della traduzione è quello della *editio minor* dei Padri di Quaracchi (v. *Bibliografia*, p. 173); i numeri in corsivo fra [   ] rimandano alle pagine di questo volume.

Le suddivisioni e la titolazione sono di Bonaventura (v. *Itinerarium mentis in Deum*, Prologo 5).

I riferimenti alle altre opere di Bonaventura rimandano alla *editio maior* in 10 voll. dei Padri di Quaracchi (v. *Bibliografia* cit., p. 173), della quale vengono citati fra (   ) il volume e la pagina, rispettivamente con un numero romano e con un numero arabico.

Le abbreviazioni dei riferimenti sono quelle comunemente in uso. In particolare, d. sta per *distinctio*; a. per *articulus*; q. per *quaestio*; ad 1, ad 2, ecc., per *responsio ad primum, ad secundum*, ecc.; coll. per *collatio*.

ITINERARIUM MENTIS IN DEUM
ITINERARIO DELL'ANIMA A DIO

Testo latino e traduzione

PROLOGUS

[179] 1. In principio primum principium, a quo cunctae illuminationes descendunt tanquam *a Patre luminum*, a quo est *omne datum optimum et omne donum perfectum*, Patrem scilicet aeternum, invoco per Filium eius, Dominum nostrum Iesum Christum, ut intercessione sanctissimae Virginis Mariae, genitricis eiusdem Dei et Domini nostri Iesu Christi, et beati Francisci, ducis et patris nostri, *det illuminatos oculos* mentis nostrae *ad dirigendos pedes nostros in viam pacis* illius, *quae exsuperat omnem sensum*; quam pacem evangelizavit et dedit Dominus noster Iesus Christus; cuius praedicationis repetitor fuit pater noster Franciscus, in omni sua praedicatione pacem in principio et in fine annuntians, in omni salutatione pacem optans, in omni contemplatione ad exstaticam pacem suspirans, tanquam civis illius Ierusalem, de qua dicit vir ille pacis, qui *cum his qui oderunt pacem, erat pacificus: Rogate quae ad pacem sunt Ierusalem*. Sciebat enim, quod thronus Salomonis non erat nisi in pace, cum scriptum sit: *In pace factus est locus eius, et habitatio eius in Sion*.

2. Cum igitur exemplo beatissimi patris Francisci hanc pacem anhelo spiritu quaererem, ego peccator, qui loco ipsius patris beatissimi post eius transitum septimus in generali fratrum ministerio per omnia indignus succedo; contigit ut nutu divino circa Beati ipsius transitum, anno trigesimo tertio ad montem Alvernae tanquam ad locum quietum amore quaerendi pacem spiri-

PROLOGO

[179] 1. All'inizio di questo itinerario, invoco il primo Principio, dal quale, come «Padre della luce», discende ogni illuminazione spirituale, «ogni cosa eccellente e ogni dono perfetto»[1]. Invoco l'eterno Padre per mezzo del Figlio suo e Signore nostro Gesù Cristo, perché, per l'intercessione della santissima Vergine Maria, madre dello stesso Dio e Signore nostro Gesù Cristo, e del beato Francesco, nostra guida e nostro padre, «voglia illuminare gli occhi»[2] della nostra mente, «per guidare i nostri passi sulla via di quella pace»[3] «che supera ogni comprensione»[4]. Pace che il Signore nostro Gesù Cristo annunciò e diede al mondo e che fu predicata dal nostro padre Francesco, il quale annunciava la pace all'inizio e alla fine di ogni sua predica, augurava la pace ogni volta che rivolgeva il saluto, anelava alla pace dell'estasi ogni volta che si abbandonava alla contemplazione, come vero cittadino di quella Gerusalemme celeste, a proposito della quale un vero uomo di pace, che «si conservava in pace anche con coloro che odiavano la pace»[5], dice: «Invocate pace per Gerusalemme»[6]. Egli, infatti, sapeva che il trono di Salomone è fondato solo sulla pace, dato che è scritto: «Nella pace ha posto la sua sede, e la sua dimora in Sion»[7].

2. Poiché dunque ricercavo anch'io con spirito ardente questa pace, sull'esempio del beatissimo padre Francesco – io che, peccatore e del tutto indegno, prendo il suo posto come settimo successore a servizio dell'Ordine –, avvenne che, trentatré anni dopo la sua morte, per ispirazione divina mi ritirai sul monte della Verna, come in luogo quieto dove soddisfare il mio amoroso desiderio di pace

tus declinarem, ibique exsistens, dum mente *[180]* trac-
tarem aliquas mentales ascensiones in Deum, inter alia
occurrit illud miraculum, quod in praedicto loco contigit ipsi beato Francisco, de visione scilicet Seraph alati
ad instar Crucifixi. In cuius consideratione statim visum
est mihi, quod visio illa praetenderet ipsius patris
suspensionem in contemplando et viam, per quam pervenitur ad eam.

3. Nam per senas alas illas recte intelligi possunt sex
illuminationum suspensiones, quibus anima quasi qui-
busdam gradibus vel itineribus disponitur, ut transeat
ad pacem per ecstaticos excessus sapientiae christianae.
Via autem non est nisi per ardentissimum amorem
Crucifixi, qui adeo Paulum ad *tertium caelum raptum*
transformavit in Christum, ut diceret: *Christo confixus
sum cruci, vivo autem, iam non ego, vivit vero in me
Christus*; qui etiam adeo mentem Francisci absorbuit,
quod mens in carne patuit, dum sacratissima passionis
stigmata in corpore suo ante mortem per biennium
deportavit. Effigies igitur sex alarum seraphicarum insinuat sex illuminationes scalares, quae a creaturis inci-
piunt et perducunt usque ad Deum, ad quem nemo
intrat recte nisi per Crucifixum. Nam *qui non intrat per
ostium, sed ascendit aliunde, ille fur est et latro. Si quis*
vero per hoc ostium *introierit, ingredietur et egredietur
et pascua inveniet.* Propter quod dicit Ioannes in
Apocalypsi: *Beati qui lavant vestimenta sua in sanguine
Agni, ut sit potestas eorum in ligno vitae, et per portas
ingrediantur civitatem*; quasi dicat, quod per contemplationem ingredi non potest Ierusalem supernam, nisi per
sanguinem Agni intret tanquam per portam. Non enim
dispositus est aliquo modo ad contemplationes divinas,

interiore; e in quel luogo, mentre meditavo su alcune vie
che consentono alla nostra anima *[180]* di ascendere a
Dio, mi si presentò tra le altre considerazioni quel miracolo che proprio ivi accadde al beato Francesco, allorché gli
apparve un Serafino alato in forma di Crocifisso[8]. Soffer-
mandomi a considerare questa visione, subito compresi
che essa metteva dinanzi agli occhi l'estasi alla quale lo
stesso Francesco era pervenuto nella contemplazione, e la
via che ad essa conduce.

3. Infatti, le sei ali del Serafino possono significare rettamente le sei elevazioni illuminanti che, come tappe o
stadi preparatori, dispongono l'anima a pervenire a quella
pace che essa attinge nel rapimento estatico proprio della
sapienza cristiana. E la sola via che ad essa conduce è
quell'ardentissimo amore per il Crocifisso che trasformò
Paolo in Cristo, «dopo averlo rapito fino al terzo cielo»[9],
così da fargli esclamare: «Sono crocifisso con Cristo, non
più io vivo, ma Cristo vive in me»[10]. Questo amore per il
Crocifisso compenetrò a tal punto l'anima di Francesco da
manifestarsi nella sua carne, allorché, per due anni, prima
della sua morte, egli portò impresse nel proprio corpo le
santissime stimmate della passione. Le sei ali del Serafino
fanno comprendere, pertanto, le sei successive illuminazioni spirituali, che, a partire dalle creature, conducono fino a Dio, al quale nessuno giunge per la via retta se non
per mezzo del Crocifisso. Infatti, «chi non entra per la
porta dell'ovile, ma vi sale da qualche altra parte, questi è
un ladro e un predone»[11]. Invece, «chi entrerà per questa
porta, entrerà ed uscirà e troverà il pascolo»[12]. Per questo,
Giovanni afferma nell'Apocalisse: «Beati coloro che lava-
no le loro vesti nel sangue dell'Agnello, sicché avranno il
potere sull'albero della vita ed entreranno in città per le
porte»[13], quasi a voler dire che non si può entrare, con la
contemplazione, nella Gerusalemme celeste, se non var-
cando quella porta che è il sangue dell'Agnello. Né, infatti, si è in alcun modo preparati alla contemplazione delle
realtà divine, che conducono al rapimento estatico dell'ani-

quae ad mentales ducunt excessus, nisi cum Daniele sit *vir desideriorum*. Desideria autem in nobis inflammantur dupliciter, scilicet per *clamorem orationis*, quae rugire facit *a gemitu cordis*, et per *fulgorem speculationis*, qua mens ad radios lucis directissime et intensissime se convertit.

[181] 4. Igitur ad gemitum orationis per Christum crucifixum, per cuius sanguinem purgamur a sordibus vitiorum, primum quidem lectorem invito, ne forte credat, quod sibi sufficiat lectio sine unctione, speculatio sine devotione, investigatio sine admiratione, circumspectio sine exsultatione, industria sine pietate, scientia sine caritate, intelligentia sine humilitate, studium absque divina gratia, speculum absque sapientia divinitus inspirata. – Praeventis igitur divina gratia, humilibus et piis, compunctis et devotis, unctis *oleo laetitiae* et amatoribus divinae sapientiae et eius desiderio inflammatis, vacare volentibus ad Deum magnificandum, admirandum et etiam degustandum, speculationes subiectas propono, insinuans, quod parum aut nihil est speculum exterius propositum, nisi speculum mentis nostrae tersum fuerit et politum. Exerce igitur te, homo Dei, prius ad stimulum conscientiae remordentem, antequam oculos eleves ad radios sapientiae in eius speculis relucentes, ne forte ex ipsa radiorum speculatione in graviorem incidas foveam tenebrarum.

5. Placuit autem distinguere tractatum in septem capitula, praemittendo titulos ad faciliorem intelligentiam dicendorum. Rogo igitur, quod magis pensetur intentio scribentis quam opus, magis dictorum sensus quam sermo incultus, magis veritas quam venustas,

ma, se non a condizione di essere, a somiglianza di Daniele, «uomo di desiderio»[14]. Ora, due sono i mezzi che generano in noi questo desiderio: il grido della preghiera che
prorompe, fremente, «dal gemito del cuore»[15]; e il fulgore
della riflessione, che fa volgere l'anima alla Luce con la
massima immediatezza e intensità.

[181] 4. Invito quindi il lettore a gemere, innanzi tutto,
pregando il Cristo crocifisso, il cui sangue ci purifica dalle
impurità del vizio, perché non creda che gli sia sufficiente
la lettura senza la compunzione, la riflessione senza la devozione, la ricerca senza lo slancio dell'ammirazione, la
prudenza senza la capacità di abbandonarsi alla gioia, l'attività disgiunta dalla religiosità, il sapere separato dalla carità, l'intelligenza senza l'umiltà, lo studio non sorretto
dalla grazia divina, lo specchio della realtà senza la sapienza ispirata da Dio. Propongo perciò le riflessioni che se-
guono a quanti sono mossi dalla grazia di Dio, agli umili e
ai pii, a coloro che sono animati da pentimento e devozione; a quanti, unti con «l'olio della vera gioia»[16], amano la
sapienza divina e la ricercano con ardente desiderio; a
quanti intendono dedicarsi interamente a lodare Dio, ad
ammirarne le perfezioni e a gustarne la dolcezza, facendo
però notare che poco o nulla vale lo specchio costituito
dalla realtà esterna, se lo specchio interiore della nostra
anima non è perfettamente terso e nitido. Perciò, o uomo
di Dio, impegnati, prima di tutto, ad ascoltare la voce della coscienza che ti chiama al pentimento, e solleva poi gli
occhi ai raggi della sapienza che si riflettono in quegli
specchi, così che non accada che proprio la considerazione di quei raggi troppo luminosi ti getti in una tenebra più
profonda.

5. Ho ritenuto opportuno suddividere l'opera in sette
capitoli, premettendo ad essi dei titoli che facilitassero la
comprensione del contenuto. Infine, invito il lettore a te-
ner conto più dell'intenzione dell'autore che dei risultati
del suo lavoro; più del significato di quanto afferma che
dello stile disadorno; più della verità che della ricercatezza

magis exercitatio affectus quam eruditio intellectus. Quod ut fiat, non est harum speculationum progressus perfunctorie transcurrendus, sed morosissime ruminandus.

della forma; più di ciò che tiene vivo l'affetto che di ciò che erudisce l'intelligenza. Per conseguire tale scopo, non bisogna esaminare con fretta e negligenza lo snodarsi di queste riflessioni, ma meditarle con la massima attenzione.

INCIPIT SPECULATIO
PAUPERIS IN DESERTO

CAPITULUM I

*De gradibus ascensionis in Deum
et de speculatione ipsius per vestigia eius in universo*

[182] 1. *Beatus vir, cuius est auxilium abs te! ascensiones in corde suo disposuit in valle lacrymarum, in loco, quem posuit.* Cum beatitudo nihil aliud sit, quam summi boni fruitio; et summum bonum sit supra nos: nullus potest effici beatus, nisi supra semetipsum ascendat, non ascensu corporali, sed cordiali. Sed supra nos levari non possumus nisi per virtutem superiorem nos elevantem. Quantumcumque enim gradus interiores disponantur, nihil fit, nisi divinum auxilium comitetur. Divinum autem auxilium comitatur eos qui petunt ex corde humiliter et devote; et hoc est ad ipsum suspirare in hac *lacrymarum valle*, quod fit per ferventem orationem. Oratio igitur est mater et origo sursum-actionis. Ideo Dionysius in libro De Mystica Theologia, volens nos instruere ad excessus mentales, primo praemittit orationem. Oremus igitur et dicamus ad Dominum Deum nostrum: *Deduc me, Domine, in via tua, et ingrediar in veritate tua; laetetur cor meum, ut timeat nomen tuum.*

IL POVERO COMINCIA, NEL DESERTO,
L'ITINERARIO VERSO LA CONOSCENZA
SPECULARE DI DIO

CAPITOLO I

Le tappe dell'ascesa a Dio: come si conosce Dio
specularmente per mezzo delle sue vestigia nell'universo

[182] 1. «Felice l'uomo il cui sostegno è in Te! Nella valle di lacrime, nel luogo in cui è stato posto, egli ha deciso di ascendere a te»[17]. Dato che la beatitudine consiste soltanto nella fruizione del sommo Bene, ed il sommo Bene è una realtà trascendente rispetto a noi, nessuno può pervenire alla beatitudine se non si eleva al di sopra di se stesso, non in senso fisico, ma in virtù di uno slancio del cuore. D'altra parte, non ci possiamo elevare al di sopra di noi se una forza a noi superiore non ce lo consente. Infatti, per quanto ci disponiamo interiormente a questa ascesa, a nulla serve tutto ciò se non ci soccorre l'aiuto di Dio. Ora, l'aiuto di Dio soccorre coloro che lo invocano di tutto cuore, con umiltà e devozione; coloro cioè che a Lui anelano in questa valle di lacrime per mezzo di un'ardente preghiera. La preghiera, pertanto, è la fonte e l'origine del nostro elevarci a Dio. Per questo, Dionigi, nella sua opera *De Mystica Theologia*[18], proponendosi di indicarci i mezzi per giungere al rapimento dell'anima, pone al primo posto la preghiera. Preghiamo, dunque, e diciamo al Signore Dio nostro: «Conducimi, Signore, sulla tua via ed entrerò nella tua verità; gioisca il mio cuore, perché tema il tuo nome»[19].

2. In hac oratione orando illuminatur ad cognoscendum divinae ascensionis gradus. Cum enim secundum statum conditionis nostrae ipsa rerum universitas sit scala ad ascendendum in Deum; et in rebus quaedam sint vestigium, quaedam imago, quaedam corporalia, quaedam spiritualia, quaedam temporalia, quaedam aeviterna, ac per hoc quaedam extra nos, quaedam intra nos; ad hoc quod perveniamus ad primum principium considerandum, quod est spiritualissimum et aeternum et supra nos, oportet nos transire per vestigium, quod est corporale et temporale et extra nos, et hoc est deduci in via Dei; oportet nos intrare ad mentem nostram quae est imago Dei *[183]* aeviterna, spiritualis et intra nos, et hoc est ingredi in veritate Dei; oportet nos transcendere ad aeternum, spiritualissimum et supra nos, aspiciendo ad primum principium, et hoc est laetari in Dei notitia et reverentia Maiestatis.

3. Haec est igitur via trium dierum in solitudine; haec est triplex illuminatio unius diei, et prima est sicut vespera, secunda sicut mane, tertia sicut meridies; haec respicit triplicem rerum exsistentiam, secundum quam dictum est: *fiat, fecit* et *factum est*; haec etiam respicit triplicem substantiam in Christo, qui est scala nostra, scilicet corporalem, spiritualem et divinam.

4. Secundum hunc triplicem progressum mens nostra tres habet aspectus principales. Unus est ad corporalia exteriora, secundum quem vocatur animalitas seu sensualitas; alius intra se et in se, secundum quem dicitur spiritus; tertius supra se, secundum quem dicitur

2. Così pregando, siamo illuminati in modo da conoscere le tappe dell'ascensione a Dio. Infatti, per noi uomini, nella nostra attuale condizione, l'intera realtà costituisce una scala per ascendere a Dio. Ora, tra le cose, alcune
sono vestigio di Dio, altre sua immagine; alcune sono corporee, altre spirituali; alcune sono temporali, altre sono
immortali; e, pertanto, alcune sono fuori di noi, altre invece in noi. Di conseguenza, per pervenire alla considerazione del primo Principio, che è puro spirito, eterno e trascendente, è necessario che passiamo prima attraverso la
considerazione delle sue vestigia che sono corporee, temporali ed esterne a noi, e questo significa essere condotti
sulla via di Dio. È necessario, poi, che rientriamo nella nostra anima che è immagine di Dio, [183] immortale, spirituale ed in noi, e questo significa entrare nella verità di
Dio. È necessario, infine, che ci eleviamo a ciò che è eterno, puro spirito e trascendente, fissando con attenzione
lo sguardo sul primo Principio, e questo significa allietar-
si nella conoscenza di Dio e nell'adorazione della sua
maestà.

3. Queste tre tappe costituiscono, quindi, il viaggio di
tre giorni nella solitudine[20], le tre luci che ci illuminano
nel corso di una sola giornata, di cui la prima è simile a
quella del tramonto, la seconda a quella del mattino, la
terza a quella del mezzogiorno[21]. Esse rispecchiano anche
i tre modi in cui le cose esistono, cioè nella materia,
nell'intelligenza creata e nell'arte eterna, e con riferimento
ai quali fu detto: «sia fatto», «fece» e «fu fatto»[22], e, ancora, rispecchiano i tre ordini di sostanza – corporea, spirituale e divina – presenti in Cristo che è la scala per la nostra ascesa.

4. A queste tre tappe progressive corrispondono, nella
nostra anima, tre diversi modi secondo cui essa considera
le cose. Il primo si volge alle realtà corporee, esterne a noi,
ed è chiamato animalità o sensibilità; con il secondo, si
volge a se stessa, senza uscire da sé, ed è detto spirito; con
il terzo, che è detto mente, l'anima si volge alle realtà che

mens. – Ex quibus omnibus disponere se debet ad conscendendum in Deum, ut ipsum diligat *ex tota mente, ex
toto corde et ex tota anima*, in quo consistit perfecta
Legis observatio et simul cum hoc sapientia christiana.

5. Quoniam autem quilibet praedictorum modorum
geminatur, secundum quod contingit considerare Deum
ut *alpha et omega*, seu in quantum contingit videre
Deum in unoquoque praedictorum modorum ut per
speculum et ut in speculo, seu quia una istarum conside-
rationum habet commisceri alteri sibi coniunctae et
habet considerari in sua puritate; hinc est, quod necesse
est, hos tres gradus principales ascendere ad senarium,
ut, sicut Deus sex diebus perfecit universum mundum
et in septimo requievit; sic minor mundus sex gradibus
illuminationum sibi succedentium ad quietem contemplationis ordinatissime perducatur. – In cuius rei figura
sex gradibus ascendebatur ad thronum Salomonis;
Seraphim, quae vidit Isaias, senas alas habebant; post
sex dies *vocavit* Dominus *Moysen de medio caliginis*, et
Christus *post sex dies*, ut dicitur in Matthaeo, *duxit disci-
pulos in montem et transfiguratus est ante eos*.

6. Iuxta igitur sex gradus ascensionis *[184]* in Deum
sex sunt gradus potentiarum animae per quos ascendimus ab imis ad summa, ab exterioribus ad intima, a
temporalibus conscendimus ad aeterna, scilicet sensus,
imaginatio, ratio, intellectus, intelligentia et apex mentis
seu synderesis scintilla. Hos gradus in nobis habemus
plantatos per naturam, deformatos per culpam, reformatos per gratiam; purgandos per iustitiam, exercendos
per scientiam, perficiendos per sapientiam.

7. Secundum enim primam naturae institutionem
creatus fuit homo habilis ad contemplationis quietem, et

la trascendono. A partire da tutte queste cose, l'anima deve prepararsi ad ascendere a Dio, perché Egli sia amato «con tutta la mente, con tutto il cuore, con tutta l'anima»[23]; in ciò consistono la perfetta osservanza della Legge e, insieme, la sapienza cristiana.

5. Ma ognuno dei modi predetti si sdoppia, a seconda che consideriamo Dio come «alfa e omega»[24], oppure in quanto vediamo Dio, in ciascuno dei modi predetti, come per mezzo di uno specchio o come dentro a uno specchio[25], oppure in quanto ciascuno di questi modi di considerare Dio è assunto nella sua purezza e in connessione con gli altri. Ne segue, necessariamente, che le tre principali tappe della nostra ascesa diventano sei, in modo che, come Dio in sei giorni creò tutta la realtà e nel settimo si riposò, così il microcosmo, cioè l'uomo, venga condotto, in modo sommamente ordinato, attraverso sei successive illuminazioni, al riposo della contemplazione. Questa ascesa è simboleggiata dai sei gradini che conducevano al trono di Salomone[26]; avevano sei ali i Serafini visti da Isaia[27]; dopo sei giorni Dio «chiamò Mosè dalla nube»[28] e «dopo sei giorni», come riferisce Matteo[29], Cristo «condusse i discepoli su un monte e si trasfigurò dinanzi a loro».

6. A queste sei tappe della nostra ascesa [184] a Dio corrispondono le sei facoltà dell'anima, per mezzo delle quali ci eleviamo dalle realtà inferiori a quelle superiori, da quelle esterne a noi a quelle interne, dalle realtà temporali a quelle eterne. Queste facoltà sono il senso, la facoltà immaginativa, la ragione, l'intelletto, l'intelligenza e la parte più elevata della mente che è detta anche scintilla della sinderesi[30]. Queste facoltà, presenti in noi per natura, sono state deformate dalla colpa e restaurate dalla grazia; ora, è necessario purificarle mediante la pratica della giustizia, esercitarle per mezzo della scienza e renderle perfette in virtù della sapienza.

7. Infatti, secondo l'originaria costituzione della sua natura, l'uomo fu creato capace di pervenire alla quiete

ideo *posuit eum Deus in paradiso deliciarum.* Sed avertens se a vero lumine ad commutabile bonum, incurvatus est ipse per culpam propriam, et totum genus suum per originale peccatum, quod dupliciter infecit humanam naturam, scilicet ignorantia mentem et concupiscentia carnem; ita quod excaecatus homo et incurvatus in tenebris sedet et caeli lumen non videt nisi succurrat gratia cum iustitia contra concupiscentiam, et scientia cum sapientia contra ignorantiam. Quod totum fit per Iesum Christum, *qui factus est nobis a Deo sapientia et iustitia et sanctificatio et redemptio.* Qui cum sit Dei *virtus* et Dei *sapientia*, sit Verbum incarnatum *plenum gratiae et veritatis*, gratiam et veritatem fecit, gratiam scilicet caritatis infudit, quae, cum sit *de corde puro et conscientia bona et fide non ficta*, totam animam rectificat secundum triplicem ipsius aspectum supradictum; scientiam veritatis edocuit secundum triplicem modum theologiae, scilicet symbolicae, propriae et mysticae, ut per symbolicam recte utamur sensibilibus, per propriam recte utamur intelligibilibus, per mysticam rapiamur ad supermentales excessus.

8. Qui igitur vult in Deum ascendere necesse est, ut, vitata culpa deformante naturam, naturales potentias supradictas exerceat ad gratiam reformantem, et hoc per orationem; ad iustitiam purificantem, et hoc in conversatione; ad scientiam illuminantem, et hoc in meditatione; ad sapientiam perficientem, et hoc in contemplatione. Sicut igitur ad sapientiam nemo venit nisi per gratiam, iustitiam et scientiam, sic ad contemplationem non

della contemplazione, e perciò «Dio lo pose nel giardino delle delizie»[31]. Ma, allontanatosi dalla vera luce per volgersi al bene passeggero, egli stesso a causa della propria colpa, e tutta la sua discendenza a causa del peccato originale, furono prostrati a terra. Il peccato originale ha corrotto in due modi la natura umana, cioè nella mente con l'ignoranza, e nella carne con la concupiscenza, così che l'uomo, accecato e prostrato a terra, giace nelle tenebre né riesce a vedere la luce del cielo, a meno che la grazia e la giustizia non gli vengano in aiuto contro la concupiscenza, la scienza e la sapienza contro l'ignoranza[32]. Tutto questo avviene per mezzo di Gesù Cristo, «che divenne per noi sapienza e giustizia e santificazione e redenzione»[33]. Egli, essendo «potenza di Dio e sapienza di Dio»[34], Verbo incarnato «pieno di grazia e di verità», ci diede «la grazia e la verità»[35], cioè infuse in noi la grazia della carità che, nascendo «da un cuore puro, da una coscienza buona e da una fede senza finzioni»[36], rende retta tutta la nostra anima nei suoi tre aspetti di cui abbiamo parlato in precedenza. Cristo ci insegnò anche la scienza della verità secondo le tre forme della teologia, cioè della teologia simbolica, della teologia propriamente detta e della teologia mistica, perché noi, grazie alla teologia simbolica, ci serviamo rettamente delle realtà sensibili, mediante la teologia propriamente detta ci serviamo rettamente delle realtà intelligibili, per mezzo della teologia mistica siamo rapiti nell'estasi che eccede le capacità della nostra mente.

8. È, dunque, necessario che chi vuole ascendere a Dio, dopo avere evitato di cadere nella colpa che corrompe la nostra natura, eserciti le facoltà naturali di cui prima si è parlato, per ottenere, mediante la preghiera, la grazia che riabilita; per mezzo di una retta condotta di vita, la giustizia che purifica; per mezzo della meditazione, la scienza che illumina; e, per mezzo della contemplazione, la sapienza che rende perfetti. Quindi, come nessuno può pervenire alla sapienza se non per mezzo della grazia, della giustizia e della scienza, così non si può pervenire alla

venitur nisi per meditationem perspicuam, conversatio-
nem sanctam et orationem devotam. Sicut igitur gratia
fundamentum est rectitudinis voluntatis et illustrationis
perspicuae rationis; sic primo orandum est nobis, *[185]*
deinde sancte vivendum, tertio veritatis spectaculis
intendendum et intendendo gradatim ascendendum,
quousque veniatur ad montem excelsum, ubi *videatur
Deus deorum in Sion*.

9. Quoniam igitur prius est ascendere quam descen-
dere in scala Iacob, primum gradum ascensionis colloce-
mus in imo, ponendo totum istum mundum sensibilem
nobis tanquam speculum, per quod transeamus ad
Deum, opificem summum, ut simus veri Hebraei transeuntes de Aegypto ad terram Patribus repromissam,
simus etiam Christiani cum Christo transeuntes *ex hoc
mundo ad Patrem*, simus et sapientiae amatores, quae
vocat et dicit: *Transite ad me omnes, qui concupiscitis
me, et a generationibus meis adimplemini. A magnitudine
namque speciei et creaturae cognoscibiliter poterit Creator
horum videri*.

10. Relucet autem Creatoris summa potentia et
sapientia et benevolentia in rebus creatis secundum
quod hoc tripliciter nuntiat sensus carnis sensui interiori. Sensus enim carnis aut deservit intellectui rationabiliter investiganti, aut fideliter credenti, aut intellectualiter
contemplanti. Contemplans considerat rerum exsistentiam actualem, credens rerum decursum habitualem,
ratiocinans rerum praecellentiam potentialem.

11. Primo modo aspectus contemplantis, res in se
ipsis considerans, videt in eis pondus, numerum et mensuram; pondus quoad situm, ubi inclinantur, numerum,
quo distinguuntur, et mensuram, qua limitantur. Ac per

contemplazione se non per mezzo di una meditazione penetrante, di una condotta di vita santa e di una preghiera devota. Come, dunque, la grazia costituisce il fondamento della rettitudine della volontà e dell'illuminazione di una ragione penetrante, così è necessario, innanzi tutto, pregare *[185]*, poi vivere santamente, e infine applicarsi alla considerazione della verità e, applicandosi ad essa, ascendere gradatamente fino a pervenire al monte eccelso, «a Sion», dove «si contempli il Dio degli dèi»[37].

9. Pertanto, dato che bisogna prima salire e poi discendere la scala di Giacobbe[38], poniamo la prima tappa della nostra ascesa in basso, considerando tutto questo mondo sensibile come uno specchio, per mezzo del quale possiamo elevarci a Dio, sommo Artefice, così da essere i veri Ebrei che passano dall'Egitto alla terra promessa ai loro padri, i veri cristiani che passano con Cristo «da questo mondo al Padre»[39], i veri amanti della sapienza che ci chiama dicendoci: «Venite a me voi tutti che mi desiderate e saziatevi dei miei frutti»[40]. «Infatti, dalla grandezza e dalla bellezza delle creature si può conoscere il loro creatore»[41].

10. Ora, la somma potenza, la somma sapienza e la somma bontà del creatore risplendono nelle cose create nei tre modi secondo cui i sensi del corpo rendono noto questo fatto al senso interno. Infatti, i sensi del corpo prestano il loro servizio alla facoltà intellettiva sia quando indaga mediante la ragione, sia quando crede con una adesione di fede, sia quando contempla intellettivamente. Quando contempla, essa considera l'esistenza attuale delle cose; quando crede, considera lo svolgersi che è ad esse proprio; quando si serve della ragione, le considera nell'eccellere delle loro potenzialità.

11. Dapprima, quando lo sguardo di colui che contempla considera le cose in se stesse, vede in esse il peso, il numero e la misura[42]; vede il peso in relazione al luogo verso il quale esso le fa tendere; il numero per mezzo del quale si distinguono l'una dall'altra; la misura mediante la

hoc videt in eis modum, speciem et ordinem, nec non substantiam, virtutem et operationem. Ex quibus consurgere potest sicut ex vestigio ad intelligendum potentiam, sapientiam et bonitatem Creatoris immensam.

12. Secundo modo aspectus fidelis, considerans hunc mundum, attendit originem, decursum et terminum. Nam *fide credimus, aptata esse saecula Verbo vitae*; fide credimus, trium legum tempora, scilicet naturae, Scripturae et gratiae sibi succedere et ordinatissime decurrisse; fide credimus, mundum per finale iudicium terminandum esse; in primo potentiam, in secundo providentiam, in tertio iustitiam summi principii advertentes.

13. Tertio modo aspectus ratiocinabiliter investigantis videt, quaedam tantum esse, quaedam autem esse et vivere, quaedam vero esse, vivere et discernere; et prima quidem esse minora, secunda media, *[186]* tertia meliora. – Videt iterum, quaedam esse tantum corporalia, quaedam partim corporalia, partim spiritualia; ex quo advertit, aliqua esse mere spiritualia tanquam utrisque meliora et digniora. – Videt nihilominus, quaedam esse mutabilia et corruptibilia, ut terrestria, quaedam mutabilia et incorruptibilia, ut caelestia; ex quo advertit, quaedam esse immutabilia et incorruptibilia, ut supercaelestia.

Ex his ergo visibilibus consurgit ad considerandum Dei potentiam, sapientiam et bonitatem ut entem, viventem et intelligentem, mere spiritualem et incorruptibilem et intransmutabilem.

14. Haec autem consideratio dilatatur secundum septiformem conditionem creaturarum, quae est divinae

quale sono delimitate reciprocamente. In virtù di questo, vede in esse la dimensione, l'armonia e l'ordine, e altresì la sostanza, la capacità operativa e l'attività. Tutto ciò gli consente di elevarsi dalle cose, come da un vestigio, alla conoscenza dell'immensa potenza, sapienza e bontà del loro creatore.

12. In seguito, lo sguardo di chi considera questo mondo dal punto di vista della fede rivolge la propria attenzione alla sua origine, al suo corso e al suo fine. Infatti, «per fede» crediamo che «l'universo è stato formato dal Verbo di vita»[43]; per fede crediamo che tre leggi – cioè di natura, della Scrittura e di grazia – si succedono e si sono succedute e svolte nel tempo con ordine regolarissimo; per fede crediamo che il mondo avrà termine col giudizio finale. Possiamo scorgere, in tal modo, nell'origine del mondo la potenza del sommo Principio, nello svolgersi del mondo la sua provvidenza e nella fine del mondo la sua giustizia.

13. Infine, lo sguardo di chi indaga mediante la ragione vede alcune realtà esistere soltanto; altre esistere e vivere; altre, poi, esistere, vivere e discernere. Le prime sono le meno elevate, le seconde occupano un posto intermedio, le terze sono le più elevate. *[186]* Vede, altresì, che alcune realtà sono soltanto corporee, altre sono in parte corporee e in parte spirituali, e da ciò si rende conto che esistono realtà puramente spirituali, migliori e più elevate rispetto alle precedenti. Vede, nondimeno, che alcune realtà, come quelle terrene, sono soggette al mutamento e alla corruzione, e che altre, come quelle celesti, sono soggette al mutamento, ma non alla corruzione, e da ciò si rende conto che esistono realtà non soggette né al mutamento né alla corruzione, come quelle divine.

Pertanto, da questa realtà visibile l'intelletto si eleva alla considerazione della potenza, sapienza e bontà di Dio, esistente, vivente, intelligente, puramente spirituale, incorruttibile e immutabile.

14. Questa considerazione si amplia, poi, secondo le sette caratteristiche delle creature – che costituiscono sette

potentiae, sapientiae et bonitatis testimonium septifor-
me, si consideretur cunctarum rerum origo, magnitudo,
multitudo, pulcritudo, plenitudo, operatio et ordo. –
Origo namque rerum secundum creationem, distinctio-
nem et ornatum quantum ad opera sex dierum divinam
praedicat potentiam cuncta de nihilo producentem,
sapientiam cuncta lucide distinguentem et bonitatem
cuncta largiter adornantem. – Magnitudo autem rerum
secundum molem longitudinis, latitudinis et profundita-
tis; secundum excellentiam virtutis longe, late et profun-
de se extendentis, sicut patet in diffusione lucis; secundum efficaciam operationis intimae, continuae et diffu-
sae, sicut patet in operatione ignis, manifeste indicat
immensitatem potentiae, sapientiae et bonitatis trini
Dei, qui in cunctis rebus per potentiam, praesentiam et
essentiam incircumscriptus exsistit. – Multitudo vero
rerum secundum diversitatem generalem, specialem et
individualem in substantia, in forma seu figura et efficacia ultra omnem humanam aestimationem, manifeste
trium praedictarum conditionum in Deo immensitatem
insinuat et ostendit. – Pulcritudo autem rerum secundum varietatem luminum, figurarum et colorum in corporibus simplicibus, mixtis et etiam complexionatis,
sicut in corporibus caelestibus et mineralibus, sicut lapi-
dibus et metallis, plantis et animalibus, tria praedicta
evidenter proclamat. – Plenitudo autem rerum, secundum quod materia est plena formis secundum rationes
seminales; forma est plena virtute secundum activam
potentiam; virtus est plena effectibus secundum efficien-
tiam, id ipsum manifeste declarat. – Operatio multiplex,
secundum quod est naturalis, secundum quod est artifi-
cialis, secundum quod est moralis, sua multiplicissima

testimonianze della potenza, sapienza e bontà di Dio –, se cioè ci si sofferma ad esaminare l'origine, la grandezza, la molteplicità, la bellezza, la pienezza, l'attività e l'ordine di tutte le cose. Infatti, l'origine delle cose, nell'opera dei sei giorni, quanto alla loro creazione, al loro reciproco distinguersi e alla loro bellezza, proclama la potenza di Dio che ha creato dal nulla tutte le cose, la sua sapienza che le ha limpidamente distinte l'una dall'altra, la sua bontà che le ha tutte generosamente dotate di bellezza[44]. La grandezza delle cose, poi, sia quanto alla loro lunghezza, larghezza e profondità, sia quanto all'eccellenza del loro potere, che si espande in lunghezza, larghezza e profondità, come appare nel diffondersi della luce, sia quanto all'efficacia con cui esse operano in maniera penetrante, continua ed estesa, come appare nell'operare del fuoco, manifesta con chiarezza l'immensa potenza, sapienza e bontà del Dio trino, il quale permane in tutte le cose con la sua potenza, presenza ed essenza, benché non circoscritto da nessuna di esse. La molteplicità, poi, delle cose considerata rispetto al loro diversificarsi secondo il genere, la specie e le caratteristiche individuali, nella sostanza, nella forma o figura, nella capacità operativa, al di là di ogni umana valutazione, fa comprendere e manifesta apertamente l'incommensurabilità, in Dio, dei tre predetti attributi. A sua volta, la bellezza delle cose, considerata rispetto alla varietà di luci, figure e colori presente sia nei corpi semplici sia in quelli composti sia in quelli organici, nei corpi celesti come nei minerali, nelle pietre come nei metalli, nelle piante come negli animali, proclama con tutta evidenza i tre suddetti attributi. Analogamente, questi sono manifestati dalla pienezza delle cose, per cui la materia è piena di forme, presenti in essa come ragioni seminali[45], la forma è piena di forza operativa, secondo la sua potenza di agire, e la potenza operativa è piena di effetti, conformemente alla sua capacità di attuarli. L'operazione, poi, è molteplice, in quanto è operazione della natura, in quanto è operazione dell'artefice, in quanto è operazione morale: essa, con la

varietate ostendit immensitatem illius *[187]* virtutis, artis
et bonitatis, quae quidem est omnibus «causa essendi,
ratio intelligendi et ordo vivendi». – Ordo autem secundum rationem durationis, situationis et influentiae, scilicet per prius et posterius, superius et inferius, nobilius
et ignobilius, in libro creaturae insinuat manifeste primi
principii primitatem, sublimitatem et dignitatem quantum ad infinitatem potentiae: ordo vero divinarum
legum, praeceptorum et iudiciorum in libro Scripturae
immensitatem sapientiae; ordo autem divinorum
Sacramentorum, beneficiorum et retributionum in corpore Ecclesiae immensitatem bonitatis, ita quod ipse
ordo nos in primum et summum, potentissimum,
sapientissimum et optimum evidentissime manuducit.

15. Qui igitur tantis rerum creatarum splendoribus
non illustratur caecus est; qui tantis clamoribus non evi-
gilat surdus est; qui ex omnibus his effectibus Deum
non laudat mutus est; qui ex tantis indiciis primum principium non advertit stultus est. – Aperi igitur oculos,
aures spirituales admove, labia tua solve et cor tuum
appone, ut in omnibus creaturis Deum tuum videas,
audias, laudes, diligas et colas, magnifices et honores, ne
forte totus contra te orbis terrarum consurgat. Nam ob
hoc *pugnabit orbis terrarum contra insensatos*, et econtra
sensatis erit materia gloriae, qui secundum Prophetam
possunt dicere: *Delectasti me, Domine, in factura tua, et
in operibus manuum tuarum exsultabo. Quam magnifica-
ta sunt opera tua, Domine! omnia in sapientia fecisti,
impleta est terra possessione tua.*

sua molteplice varietà, mostra l'immensità *[187]* di quella potenza, sapienza ordinatrice e bontà che è «causa dell'esistere, criterio dell'intendere e ordinamento del vivere»[46] di tutte le cose. Inoltre, l'ordine delle cose, quale appare dal libro della creazione, rispetto al criterio della loro durata, della loro collocazione e del loro influsso, cioè rispetto al loro essere disposte secondo un prima ed un poi, in una posizione più o meno elevata e secondo una maggiore o minore dignità, fa comprendere con chiarezza la preminenza, la sublimità e la dignità del primo Principio quanto alla sua infinita potenza. Invece, l'ordine riscontrabile nelle leggi, nei precetti e nei giudizi contenuti nel libro della Scrittura fa comprendere l'immensità della sua sapienza. Infine, l'ordine dei sacramenti divini, dei benefici e delle ricompense nel corpo della Chiesa ne manifesta l'immensa bontà, così che da questo stesso ordine siamo condotti per mano, e con piena evidenza, al Principio primo e sommo, che è potentissimo, sapientissimo e ottimo.

15. Cieco è, pertanto, chi non viene illuminato dagli innumerevoli splendori delle realtà create; sordo chi non viene destato da voci tanto numerose; muto chi non è spinto a lodare Dio dalla considerazione di tutti questi suoi effetti; stolto chi, da tanti segni, non riconosce il primo Principio. Apri, dunque, i tuoi occhi, tendi le orecchie del tuo spirito, apri le tue labbra e disponi il tuo cuore in modo da poter vedere, sentire, lodare, amare e adorare, glorificare e onorare il tuo Dio in tutte le creature, affinché l'universo intero non insorga contro di te. A motivo di ciò, infatti, «l'universo si scaglierà contro gli stolti»[47] e, al contrario, sarà motivo di gloria per quei saggi che possono affermare, secondo la parola del profeta: «Mi hai allietato, o Signore, con le tue opere ed esulterò per l'opera delle tue mani»[48]. «Quanto mirabili sono le tue opere, o Signore! Hai fatto tutto con sapienza e la terra è piena delle tue ricchezze»[49].

CAPITULUM II

*De speculatione Dei in vestigiis suis
in hoc sensibili mundo*

1. Sed quoniam circa speculum sensibilium non solum contingit contemplari Deum per ipsa tanquam per vestigia, verum etiam in ipsis, in quantum est in eis per essentiam, potentiam et praesentiam; et hoc considerare est altius quam praecedens: ideo huiusmodi consideratio secundum tenet locum tanquam secundus contemplationis gradus, quo debemus manuduci ad contemplandum Deum in cunctis creaturis, quae ad mentem nostram intrant per corporales sensus.

2. Notandum igitur, quod iste mundus, qui dicitur macrocosmus, intrat ad animam nostram, quae dicitur minor mundus, per portas *[188]* quinque sensuum, secundum ipsorum sensibilium apprehensionem, oblectationem et diiudicationem. – Quod patet sic: quia in eo quaedam sunt generantia, quaedam generata, quaedam gubernantia haec et illa. Generantia sunt corpora simplicia, scilicet corpora caelestia et quatuor elementa. Nam ex elementis per virtutem lucis conciliantis contrarietatem elementorum in mixtis habent generari et produci quaecumque generantur et producuntur per operationem virtutis naturalis. – Generata vero sunt corpora ex elementis composita, sicut mineralia, vegetabilia, sensibilia et corpora humana. – Regentia haec et illa sunt substantiae spirituales sive omnino coniunctae, ut sunt

CAPITOLO II

Come si conosce Dio specularmente
nelle sue vestigia presenti nella realtà sensibile

1. Ora, lo specchio costituito dalle realtà sensibili ci consente di contemplare Dio non soltanto per mezzo di esse, come per mezzo di vestigia, ma anche in esse, in quanto Dio è in esse con la sua essenza, potenza e presenza. Dato, poi, che questo modo di considerare la realtà è superiore al precedente, esso occupa il secondo posto, in quanto costituisce il secondo grado di contemplazione, grazie al quale dobbiamo essere condotti per mano a contemplare Dio in tutte le creature che penetrano nella nostra anima per mezzo dei sensi corporei.

2. Bisogna quindi osservare che questo mondo, che è detto macrocosmo, penetra nella nostra anima, che è detta microcosmo, attraverso la porta *[188]* dei cinque sensi, in modo che essa viene a contatto con le realtà sensibili per mezzo dell'apprendimento, del diletto e del giudizio. La cosa appare chiara così. Nel mondo esistono realtà atte a generare, altre generate, altre in grado di governare sia le une sia le altre. Realtà atte a generare sono i corpi semplici, cioè i corpi celesti e i quattro elementi. Infatti, a partire dagli elementi, per mezzo della luce che concilia i contrari nei corpi misti, deve essere generato e prodotto tutto ciò che viene generato e prodotto dall'azione delle forze naturali. Realtà generate, invece, sono i corpi composti di elementi, come, ad esempio, i minerali, i vegetali, gli animali e i corpi umani[50]. Preposte al governo degli elementi e dei corpi sono le sostanze spirituali, sia quelle inseparabil-

animae brutales, sive coniunctae separabiliter, ut sunt
spiritus rationales, sive omnino separatae, ut sunt spiritus caelestes, quos philosophi Intelligentias, nos Angelos
appellamus. Quibus secundum philosophos competit
movere corpora caelestia, ac per hoc eis attribuitur
administratio universi, suscipiendo a prima causa, scilicet Deo, virtutis influentiam, quam refundunt secundum
opus gubernationis, quod respicit rerum consistentiam
naturalem. Secundum autem theologos attribuitur
eisdem regimen universi secundum imperium summi
Dei quantum ad opera reparationis, secundum quae
dicuntur *administratorii spiritus, missi propter eos qui
hereditatem capiunt salutis.*

3. Homo igitur, qui dicitur minor mundus, habet
quinque sensus quasi quinque portas, per quas intrat
cognitio omnium, quae sunt in mundo sensibili, in animam ipsius. Nam per visum intrant corpora sublimia et
luminosa et cetera colorata, per tactum vero corpora
solida et terrestria, per tres vero sensus intermedios
intrant intermedia, ut per gustum aquea, per auditum
aërea, per odoratum vaporabilia, quae aliquid habent de
natura humida, aliquid de aërea, aliquid de ignea seu
calida, sicut patet in fumo ex aromatibus resoluto.

Intrant igitur per has portas tam corpora simplicia
quam etiam composita, ex his mixta. Quia vero sensu
percipimus non solum haec sensibilia particularia, quae
sunt lux, sonus, odor, sapor et quatuor primariae quali-
tates, quas apprehendit tactus; verum etiam sensibilia
communia, quae sunt numerus, magnitudo, figura, quies
et motus; et «omne, quod movetur, ab alio movetur», et
[189] quaedam a se ipsis moventur et quiescunt, ut sunt

mente congiunte ai corpi, come le anime degli animali bruti, sia quelle congiunte ai corpi così da potersene separare, come le anime razionali, sia quelle interamente separate dai corpi, quali sono gli spiriti celesti, che i filosofi chiamano intelligenze, noi invece angeli. Ad essi, secondo i filosofi, compete muovere i corpi celesti e, a causa di ciò, è assegnato ad essi il governo dell'universo, in quanto ricevono dalla causa prima, cioè da Dio, la capacità attiva della potenza che riversano secondo l'opera di governo dell'universo, la quale ha per oggetto il mantenersi dello stato naturale delle cose. Secondo i teologi, invece, agli angeli è assegnato, per disposizione del sommo Dio, il governo dell'universo per quanto si riferisce alle opere della nostra redenzione; in conformità a questo, vengono definiti «spiriti messi al servizio e inviati a vantaggio di coloro che ricevono come eredità la salvezza»[51].

3. Pertanto, l'uomo, che è detto microcosmo, è dotato di cinque sensi, che costituiscono come cinque porte attraverso le quali penetra nella sua anima la nozione di tutte le realtà del mondo sensibile. Infatti, attraverso la vista entrano in lui i corpi di natura più elevata e luminosi e tutti i colori; attraverso il tatto, invece, i corpi solidi e terrestri; attraverso i tre sensi intermedi, poi, entrano in lui le realtà intermedie, cioè i liquidi attraverso il gusto, i suoni trasmessi dall'aria attraverso l'udito, i vapori attraverso l'olfatto. Questi ultimi sono composti di parti di acqua, di aria, di fuoco o di caldo, come appare chiaro dal fumo che si sprigiona dalle sostanze aromatiche.

Attraverso queste porte penetrano quindi nell'anima umana sia i corpi semplici sia i loro composti. Ora, per mezzo dei sensi percepiamo non soltanto queste realtà sensibili particolari, quali la luce, il suono, l'odore, il sapore e le quattro qualità primarie[52] percepite dal tatto, ma anche i sensibili comuni[53], quali il numero, la grandezza, la figura, la quiete e il moto. E, ancora, per mezzo dei sensi percepiamo che «tutto ciò che è in moto è mosso da altri»[54] e che *[189]* certi esseri, come gli animali, da sé soli si

animalia, dum per hos quinque sensus motus corporum apprehendimus, manuducimur ad cognitionem motorum spiritualium tanquam per effectum in cognitionem causarum.

4. Intrat igitur quantum ad tria rerum genera in animam humanam per apprehensionem totus iste sensibilis mundus. Haec autem sensibilia exteriora sunt quae primo ingrediuntur in animam per portas quinque sensuum; intrant, inquam, non per substantias, sed per similitudines suas primo generatas in medio et de medio in organo et de organo exteriori in interiori et de hoc in potentiam apprehensivam; et sic generatio speciei in medio et de medio in organo et conversio potentiae apprehensivae super illam facit apprehensionem omnium eorum quae exterius anima apprehendit.

5. Ad hanc apprehensionem, si sit rei convenientis, sequitur oblectatio. Delectatur autem sensus in obiecto per similitudinem abstractam percepto vel ratione speciositatis, sicut in visu, vel ratione suavitatis, sicut in odoratu et auditu, vel ratione salubritatis, sicut in gustu et tactu, appropriate loquendo. Omnis autem delectatio est ratione proportionalitatis. Sed quoniam species tenet rationem formae, virtutis et operationis, secundum quod habet respectum ad principium, a quo manat, ad medium, per quod transit, et ad terminum, in quem agit; ideo proportionalitas aut attenditur in similitudine, secundum quod tenet rationem speciei seu formae, et sic dicitur speciositas, quia «pulcritudo nihil aliud est quam aequalitas numerosa», seu «quidam partium situs

dispongono al movimento e al riposo. Perciò, quando percepiamo, per mezzo dei cinque sensi, il movimento dei corpi, siamo condotti per mano alla conoscenza degli agenti spirituali che li muovono, così come dalla conoscenza degli effetti siamo condotti a quella delle cause.

4. Di conseguenza, tutto il mondo sensibile con i suoi tre generi di realtà[55] penetra nell'anima umana per mezzo dell'apprendimento. Ora, queste realtà sensibili esterne a noi penetrano per prime nella nostra anima attraverso le porte costituite dai cinque sensi. Intendo dire che penetrano in essa non nella loro realtà sostanziale, ma per mezzo di una loro immagine generata nello spazio intermedio tra esse e i nostri sensi, la quale passa nel senso esterno e, da questo, in quello interno, e infine nella facoltà dell'apprendimento. In questo modo, l'immagine, generata nello spazio intermedio tra l'oggetto e il senso esterno, e poi passata nell'organo di senso, e il volgersi ad essa della nostra facoltà di apprendimento, fanno sì che siano apprese tutte le realtà esterne di cui l'anima viene a conoscenza.

5. A questo apprendimento, se l'oggetto appreso è conveniente, fa seguito il diletto. I sensi provano diletto a contatto con l'oggetto percepito per mezzo della sua immagine, o a motivo della sua bellezza, come nel caso della vista, o a motivo della sua soavità, come nel caso dell'olfatto e dell'udito, o perché è salutare, come nel caso del gusto e del tatto, secondo quanto è proprio di ogni singolo senso. Ogni diletto, poi, nasce dalla proporzione. Ma l'immagine sensibile ci si presenta sotto un triplice aspetto: cioè come forma, con riferimento al principio da cui ha origine; come energia efficace, in rapporto al mezzo attraverso cui passa; come attività, in rapporto al soggetto su cui opera. A motivo di ciò, la proporzione si può riscontrare nell'immagine sensibile, in quanto questa ha la funzione di specie o di forma; in questo caso, tale proporzione è chiamata bellezza, in quanto «la bellezza non è altro che uguaglianza di rapporti numerici»[56], oppure «una certa disposizione delle parti, accompagnata dalla soavità del

cum coloris suavitate». Aut attenditur proportionalitas,
in quantum tenet rationem potentiae seu virtutis, et sic
dicitur suavitas, cum virtus agens non improportionali-
ter excedit recipientem, quia sensus tristatur in extremis
et in mediis delectatur. Aut attenditur, in quantum tenet
rationem efficaciae et impressionis, quae tunc est pro-
portionalis, quando agens imprimendo replet indigen-
tiam [190] patientis, et hoc est salvare et nutrire ipsum,
quod maxime apparet in gustu et tactu. Et sic per oblectationem delectabilia exteriora secundum triplicem
rationem delectandi per similitudinem intrant in animam.

6. Post hanc apprehensionem et oblectationem fit
diiudicatio, qua non solum diiudicatur, utrum hoc sit
album vel nigrum, quia hoc pertinet ad sensum particu-
larem; non solum, utrum sit salubre vel nocivum, quia
hoc pertinet ad sensum interiorem; verum etiam, qua
diiudicatur et ratio redditur, quare hoc delectat; et in
hoc actu inquiritur de ratione delectationis, quae in
sensu percipitur ab obiecto. Hoc est autem, cum quaeri-
tur ratio pulcri, suavis et salubris: et invenitur, quod
haec est proportio aequalitatis. Ratio autem aequalitatis
est eadem in magnis et parvis nec extenditur dimensio-
nibus nec succedit seu transit cum transeuntibus nec
motibus alteratur. Abstrahit igitur a loco, tempore et
motu, ac per hoc est incommutabilis, incircumscriptibi-
lis, interminabilis et omnino spiritualis. Diiudicatio igitur est actio, quae speciem sensibilem, sensibiliter per
sensus acceptam, introire facit depurando et abstrahen-

colore»[57]. Oppure, la proporzione può riscontrarsi nell'immagine sensibile, in quanto ci si presenta sotto l'aspetto di una energia efficace. In tal caso, essa è detta soavità, in quanto questa energia, agendo sui sensi, opera in maniera proporzionata alle loro capacità ricettive, dato che i sensi soffrono a motivo di sensazioni troppo violente, mentre si dilettano del giusto mezzo. Ancora, la proporzione può essere riscontrata nell'immagine sensibile quando questa opera e agisce sui sensi. In questo caso, vi è proporzione quando l'immagine opera in modo da soddisfare, con la sua azione, le esigenze [190] del senso che la riceve: ad esempio quando lo mantiene integro e lo nutre, ciò che si manifesta soprattutto nei sensi del gusto e del tatto. In tal modo, attraverso il diletto, tutte le realtà esterne dilettevoli – secondo il loro triplice modo di dilettare – penetrano nella nostra anima per mezzo di una immagine sensibile.

6. Dopo l'apprendimento e il diletto ha luogo il giudizio. Per mezzo di esso, non soltanto si giudica se una cosa sia bianca o nera, poiché questo spetta ai sensi particolari; non soltanto si valuta se essa sia salutare o nociva, poiché ciò è compito del senso interno; ma, per mezzo di esso, si è anche in grado di discernere il motivo per cui una cosa procura diletto e di darne la ragione. È attraverso questo atto del giudizio che ricerchiamo il motivo del diletto che un oggetto, percepito nella sensazione, ci procura. Questo avviene quando ricerchiamo il motivo per cui una cosa è bella, soave e salutare; si scopre allora che esso consiste in una proporzione di uguaglianza. Ora, questo rapporto di uguaglianza è sempre il medesimo in tutte le cose, sia grandi sia piccole; non diventa più grande con l'accrescersi delle dimensioni, né muta o si trasforma col trasformarsi delle cose, né si altera a causa del loro divenire. Esso, pertanto, non dipende dallo spazio, dal tempo e dal divenire, e, di conseguenza, non può mutare né essere circoscritto o delimitato, ma è totalmente spirituale. Il giudizio, quindi, è l'atto in virtù del quale l'immagine sensibile, ricevuta sensibilmente attraverso i sensi, viene fatta propria dalla

do in potentiam intellectivam. Et sic totus iste mundus introire habet in animam humanam per portas sensuum secundum tres operationes praedictas.

7. Haec autem omnia sunt vestigia, in quibus speculari possumus Deum nostrum. – Nam cum species apprehensa sit similitudo in medio genita et deinde ipsi organo impressa et per illam impressionem in suum principium, scilicet in obiectum cognoscendum, ducat; manifeste insinuat, quod illa lux aeterna generat ex se similitudinem seu splendorem coaequalem, consubstantialem et coaeternalem; et quod ille qui est *imago invisibilis Dei* et *splendor gloriae et figura substantiae eius*, qui ubique est per primam sui generationem, sicut obiectum in toto medio suam generat similitudinem, per gratiam unionis unitur, sicut species corporali organo, individuo rationalis naturae, ut per illam unionem nos reduceret ad Patrem sicut ad fontale principium et obiectum. Si ergo omnia cognoscibilia habent sui speciem generare, manifeste proclamant, quod in illis tanquam in speculis videri potest aeterna generatio Verbi, Imaginis et Filii a Deo Patre aeternaliter emanantis.

8. Secundum hunc modum species delectans ut speciosa, suavis et salubris insinuat, quod in illa prima specie est prima speciositas, *[191]* suavitas et salubritas, in qua est summa proportionalitas et aequalitas ad generantem; in qua est virtus, non per phantasma, sed per veritatem apprehensionis illabens; in qua est impressio

facoltà intellettiva, mediante un processo di purificazione
e di astrazione dalle sue qualità sensibili. In tal modo, tutto il mondo esterno può penetrare nell'anima umana attraverso le porte dei sensi, secondo le tre operazioni ricordate in precedenza.

7. Tutte queste cose costituiscono delle vestigia nelle
quali possiamo conoscere, come attraverso uno specchio,
il nostro Dio. Infatti, l'immagine appresa è una similitudine, che si è generata nello spazio tra l'oggetto ed i sensi,
che si imprime successivamente nell'organo di senso e, col
suo imprimersi in esso, ci conduce alla conoscenza del
principio da cui essa promana, cioè dell'oggetto. Attraverso questo processo, l'immagine ci fa comprendere in modo manifesto come l'eterna Luce genera da sé una immagine o uno splendore perfettamente uguale, consostanziale e coeterno a sé. Essa ci fa comprendere, altresì, che colui il quale è «immagine del Dio invisibile»[58] e «splendore
della sua gloria e figura della sua sostanza»[59] e che è dappertutto in virtù dell'atto per cui è generato – proprio come l'oggetto genera la sua immagine in qualsiasi punto
dello spazio – si unisce all'essere razionale per mezzo della
grazia – proprio come l'immagine sensibile si unisce all'organo corporeo –, per ricondurci, in virtù di questa unione,
al Padre, come al principio fontale e all'oggetto primario.
Se, pertanto, tutte le realtà conoscibili godono della proprietà di generare una immagine di sé, esse proclamano in
modo manifesto che in loro si può vedere riflessa, come in
uno specchio, l'eterna generazione del Verbo, Immagine e
Figlio, che emana dall'eternità da Dio Padre[60].

8. In questo modo, l'immagine sensibile che produce
in noi il diletto, in quanto armoniosa, soave e salutare, ci
fa comprendere che in quella prima Immagine vi è l'armonia originaria, [191] la soavità e la salubrità, e vi è altresì la
perfetta proporzionalità e uguaglianza con colui che la genera. Essa ha anche il potere di penetrare nell'intelletto,
non per mezzo di una immagine sensibile, ma attraverso la
verità dell'apprendimento, e possiede una capacità di im-

salvans et sufficiens et omnem apprehendentis indigen-
tiam expellens. Si ergo «delectatio est coniunctio convenientis cum convenienti»; et solius Dei similitudo tenet
rationem summe speciosi, suavis et salubris; et unitur
secundum veritatem et secundum intimitatem et secundum plenitudinem replentem omnem capacitatem:
manifeste videri potest, quod in solo Deo est fontalis et
vera delectatio, et quod ad ipsam ex omnibus delectationibus manuducimur requirendam.

9. Excellentiori autem modo et immediatiori diiudicatio ducit nos in aeternam veritatem certius speculandam. Si enim diiudicatio habet fieri per rationem
abstrahentem a loco, tempore et mutabilitate ac per hoc
a dimensione, successione et transmutatione, per rationem immutabilem et incircumscriptibilem et intermina-
bilem; nihil autem est omnino immutabile, incircum-
scriptibile et interminabile, nisi quod est aeternum:
omne autem quod est aeternum, est Deus, vel in Deo; si
ergo omnia, quaecumque certius diiudicamus, per
huiusmodi rationem diiudicamus; patet, quod ipse est
ratio omnium rerum et regula infallibilis et lux veritatis,
in qua cuncta relucent infallibiliter, indelebiliter, indubitanter, irrefragabiliter, indiiudicabiliter, incommutabiliter, incoarctabiliter, interminabiliter, indivisibiliter et
intellectualiter. Et ideo leges illae, per quas iudicamus
certitudinaliter de omnibus sensibilibus, in nostram
considerationem venientibus, cum sint infallibiles et
indubitabiles intellectui apprehendentis, sint indelebiles
a memoria recolentis tanquam semper praesentes, sint
irrefragabiles et indiiudicabiles intellectui iudicantis,
quia, ut dicit Augustinus, «nullus de eis iudicat, sed per
illas»: necesse est eas esse incommutabiles et incorrupti-
biles tanquam necessarias, incoarctabiles tanquam incir-
cumscriptas, interminabiles tanquam aeternas, ac per

primersi nell'anima, che salva, che è sufficiente per ogni bisogno ed è tale da soddisfare le necessità di chi l'apprende. Di conseguenza, se «il diletto consiste nell'unione fra due realtà reciprocamente convenienti»[61], e se l'Immagine del solo Dio è perfettamente armoniosa, soave e salutare e si unisce all'anima in un modo così vero, intimo e totale da colmare tutta la sua capacità ricettiva, si può comprendere in modo manifesto che solo Dio è la fonte del vero diletto e che da ogni altro diletto siamo condotti per mano a ricercarlo.

9. Ma alla conoscenza speculare della verità eterna ci conduce in un modo più eccellente e immediato il giudizio. Il giudizio, infatti, deve avvenire secondo un criterio che non dipende dallo spazio, dal tempo, dalla mutabilità e, conseguentemente, dalla dimensione, dalla successione e dal cambiamento, ma secondo un criterio immutabile e che non può essere né circoscritto né delimitato. Ora, soltanto ciò che è eterno non può assolutamente né mutare né essere circoscritto o delimitato; ma tutto ciò che è eterno è Dio o è in Dio. Pertanto, se giudichiamo con un criterio di questo genere tutto ciò che giudichiamo con piena certezza, appare chiaro che è proprio Dio il criterio per giudicare tutte le cose, la norma infallibile e la luce di verità in cui tutto risplende in modo infallibile, indelebile, indubitabile, non confutabile, inoppugnabile, immutabile, non soggetto a limiti né restrizioni o divisioni, e perfettamente intelligibile. Perciò, quelle leggi, mediante le quali noi giudichiamo con piena certezza tutte le realtà sensibili che conosciamo, sono, per l'intelletto che apprende, infallibili e indubitabili; sono altresì incancellabili dalla memoria di colui che riflette, in quanto sempre presenti ad essa, e, infine, non confutabili e non soggette al giudizio dell'intelletto di colui che giudica, poiché, come dice Agostino[62], «nessuno giudica quelle leggi, ma per mezzo di quelle leggi». È necessario che esse siano immutabili e incorruttibili in quanto necessarie, non soggette a restrizioni in quanto non limitate, sottratte al tempo in quanto eterne, e, conse-

hoc indivisibiles tanquam intellectuales et incorporeas,
non factas, sed increatas, aeternaliter exsistentes in arte
aeterna, a qua, per quam et secundum quam formantur
formosa omnia: et ideo nec certitudinaliter iudicari possunt nisi per illam quae non tantum fuit forma cuncta
producens, verum etiam cuncta conservans et distin-
guens, tanquam ens in omnibus formam tenens et regula
dirigens, et per *[192]* quam diiudicat mens nostra cuncta,
quae per sensus intrant in ipsam.

10. Haec autem speculatio dilatatur secundum considerationem septem differentiarum numerorum, quibus
quasi septem gradibus conscenditur in Deum, secundum quod ostendit Augustinus in libro De vera religione et in sexto Musicae, ubi assignat differentias numerorum gradatim conscendentium ab his sensibilibus usque
ad Opificem omnium, ut in omnibus videatur Deus.

Dicit enim, numeros esse in corporibus et maxime in
sonis et vocibus, et hos vocat sonantes; numeros ab his
abstractos et in sensibus nostris receptos, et hos vocat
occursores; numeros ab anima procedentes in corpus,
sicut patet in gesticulationibus et saltationibus, et hos
vocat progressores; numeros in delectationibus sensuum
ex conversione intentionis super speciem receptam, et
hos vocat sensuales; numeros in memoria retentos, et
hos vocat memoriales; numeros etiam, per quos de his
omnibus iudicamus, et hos vocat iudiciales, qui, ut dictum est, necessario sunt supra mentem tanquam infallibiles et indiiudicabiles. Ab his autem imprimuntur mentibus nostris numeri artificiales, quos tamen inter illos
gradus non enumerat Augustinus, quia connexi sunt
iudicialibus; et ab his manant numeri progressores, ex

guentemente, indivisibili in quanto incorporee e di natura intellettuale, non fatte ma increate, esistenti dall'eternità nell'arte eterna, dalla quale, per mezzo della quale e secondo la quale vengono formate tutte le cose che hanno forma. Perciò, tutte le cose non possono essere giudicate con certezza se non per mezzo di quell'arte eterna che non soltanto è forma immutabile che crea tutte le cose, ma tutte inoltre le conserva e distingue, in quanto è l'essere che mantiene in tutte la forma ad esse propria e la norma direttiva per mezzo della quale [192] la nostra anima giudica tutte le cose che penetrano in essa attraverso i sensi.

10. Ma questa conoscenza speculare si allarga ulteriormente, se consideriamo le sette differenti specie di numeri per mezzo dei quali, come per mezzo di sette gradini, ci si eleva a Dio, come mostra Agostino nel *De vera religione*[63] e nel sesto libro del *De musica*[64], dove stabilisce le differenti specie di numeri che si elevano gradatamente dalla realtà sensibile fino all'Artefice di tutte le cose, così che in tutta la realtà si possa scorgere Dio.

Egli, infatti, dice che vi sono numeri nelle realtà corporee, in particolare nei suoni e nelle voci, e chiama questi numeri sonori; numeri che i nostri sensi fanno propri, dopo averli astratti dai numeri presenti nelle realtà corporee, e che egli chiama numeri intesi; numeri espressi dall'anima, attraverso i movimenti del corpo, come appare nei gesti e nella danza, e questi numeri egli li chiama espressi. Vi sono, ancora, numeri, che egli chiama sensibili, nel diletto che i sensi provano quando si volgono a considerare l'immagine sensibile percepita; e numeri che egli chiama della memoria, perché sono conservati nella memoria. Vi sono altresì i numeri mediante i quali giudichiamo tutti gli altri numeri e che egli chiama numeri del giudizio; essi, come è stato detto, sono necessariamente superiori alla nostra anima, in quanto infallibili e ingiudicabili. I numeri del giudizio imprimono nella nostra anima i numeri artificiali, che tuttavia Agostino non enumera tra le specie ricordate, in quanto strettamente connessi con quelli del giudizio. Da

quibus creantur numerosae formae artificiatorum, ut a summis per media ordinatus fiat descensus ad infima. Ad hos etiam gradatim ascendimus a numeris sonantibus, mediantibus occursoribus, sensualibus et memorialibus.

Cum igitur omnia sint pulcra et quodam modo delectabilia; et pulcritudo et delectatio non sint absque proportione; et proportio primo sit in numeris: necesse est, omnia esse numerosa; ac per hoc «numerus est praecipuum in animo Conditoris exemplar» et in rebus praecipuum vestigium ducens in Sapientiam. Quod cum sit omnibus evidentissimum et Deo propinquissimum, propinquissime quasi per septem differentias ducit in Deum et facit eum cognosci in cunctis corporalibus et sensibilibus, dum numerosa apprehendimus, in numerosis proportionibus delectamur et per numerosarum proportionum leges irrefragabiliter iudicamus.

11. Ex his duobus gradibus primis, quibus manuducimur ad speculandum Deum in vestigiis quasi *[193]* ad modum duarum alarum descendentium circa pedes, colligere possumus, quod omnes creaturae istius sensibilis mundi animum contemplantis et sapientis ducunt in Deum aeternum, pro eo quod illius primi principii potentissimi, sapientissimi et optimi, illius aeternae originis, lucis et plenitudinis, illius, inquam, artis efficientis, exemplantis et ordinantis sunt umbrae, resonantiae et picturae, sunt vestigia, simulacra et spectacula nobis ad contuendum Deum proposita et signa divinitus data: quae, inquam, sunt exemplaria vel potius exemplata,

essi derivano i numeri espressi, per mezzo dei quali si dà forma a molti generi di cose fatte da un artefice, in modo che vi sia un passaggio ordinato dai numeri più elevati a quelli più bassi, attraverso quelli intermedi. Ai numeri del giudizio ci eleviamo anche gradatamente, passando dai numeri sonori a quelli intesi, e poi a quelli sensibili e a quelli della memoria.

Tutte le cose, quindi, sono belle e generano un qualche diletto, e poiché non vi possono essere bellezza e diletto senza che vi sia proporzione, e la proporzione si trova prima di tutto nei numeri, è necessario che tutte le cose siano costituite secondo una proporzione numerica e che, di conseguenza, «il numero sia il principale modello nella mente del Creatore»[65] e il principale vestigio che, nelle cose, conduce alla Sapienza. Questo vestigio, essendo evidente a tutti e vicinissimo a Dio, per così dire ci conduce vicinissimi a Dio mediante le sue sette differenze e ce Lo fa conoscere in tutte le realtà corporee e sensibili, mentre apprendiamo che le cose sono costituite secondo una proporzione numerica, mentre proviamo diletto in questa proporzione numerica e mentre giudichiamo in maniera inconfutabile per mezzo delle leggi delle proporzioni numeriche.

11. Dalla considerazione di queste due prime tappe, che possono essere paragonate alle due ali più basse del Serafino – quelle che ne ricoprivano i piedi – e dalle quali siamo condotti per mano a conoscere specularmente Dio nelle sue vestigia, *[193]* possiamo concludere che tutte le creature di questo mondo sensibile conducono a Dio eterno l'animo di colui che contempla e che possiede la vera sapienza. Esse, infatti, sono ombre, echi, rappresentazioni di quel primo Principio che è somma potenza, sapienza e bontà, di quell'eterna Fonte, Luce e Pienezza, di quella Sapienza artefice che è causa efficiente, esemplare e ordinatrice. Esse sono vestigia, immagini, spettacoli posti dinanzi a noi, per contuire[66] Dio, e segni donati da Dio stesso. Esse sono modelli, o piuttosto copie di essi, poste di-

proposita mentibus adhuc rudibus et sensibilibus, ut per sensibilia, quae vident, transferantur ad intelligibilia, quae non vident, tanquam per signa ad signata.

12. Significant autem huiusmodi creaturae huius mundi sensibilis invisibilia Dei, partim quia Deus est omnis creaturae origo, exemplar et finis, et omnis effectus est signum causae, et exemplatum exemplaris, et via finis, ad quem ducit; partim ex propria repraesentatione, partim ex prophetica praefiguratione, partim ex angelica operatione, partim ex superaddita institutione. Omnis enim creatura ex natura est illius aeternae sapientiae quaedam effigies et similitudo, sed specialiter illa quae in libro Scripturae per spiritum prophetiae assumpta est ad spiritualium praefigurationem; specialius autem illae creaturae, in quarum effigie Deus angelico ministerio voluit apparere; specialissime vero ea quam voluit ad significandum instituere, quae tenet non solum rationem signi secundum nomen commune, verum etiam Sacramenti.

13. Ex quibus omnibus colligitur, quod *invisibilia Dei a creatura mundi, per ea quae facta sunt, intellecta conspiciuntur; ita ut* qui nolunt ista advertere et Deum in his omnibus cognoscere, benedicere et amare, *inexcusabiles sint* dum nolunt transferri de tenebris in admirabile lumen Dei. *Deo autem gratias per Iesum Christum, Dominum nostrum*, qui nos *de tenebris transtulit in admirabile lumen suum*, dum per haec lumina exterius data ad speculum mentis nostrae, in quo relucent divina, disponimur ad reintrandum.

nanzi a menti ancora rozze e legate alle realtà sensibili, affinché, mediante le realtà sensibili che vedono, siano elevate alle realtà intelligibili che non vedono, così come mediante un segno si è condotti alle cose da esso significate.

12. Ora, le creature di questo mondo sensibile sono segno delle «perfezioni invisibili di Dio»[67]; in parte, perché Dio è principio, modello e fine di ogni creatura, e ogni effetto è segno della causa, la copia lo è del modello, la via lo è del fine al quale conduce; in parte, per la capacità che hanno di esprimere le perfezioni di Dio; in parte, per quanto esse prefigurano nel linguaggio profetico; in parte, per quanto in esse operano gli angeli; in parte, per ciò che di nuovo Dio ha posto in esse[68]. Ogni creatura, infatti, è per natura un'immagine ed una similitudine dell'eterna Sapienza; ma lo è, particolarmente, quella creatura che nella Scrittura è assunta dai profeti a prefigurazione delle realtà spirituali. Più particolarmente, sono immagini quelle creature di cui Dio ha voluto assumere la figura, mediante il ministero degli angeli. Ma, in un modo del tutto particolare, lo sono quelle realtà che Dio volle creare per costituirle segni, e che sono segni non soltanto nell'accezione comune del termine, ma anche sacramenti.

13. Da quanto si è detto si conclude che «dalla creazione del mondo in poi le perfezioni invisibili di Dio possono essere contemplate con l'intelletto attraverso le opere da Lui compiute»[69], così che coloro che non vogliono volgere la mente a queste realtà e riconoscere, benedire e amare Dio in esse «sono senza scusa»[70], dato che non vogliono elevarsi dalle tenebre alla meravigliosa luce di Dio. «Siano rese grazie a Dio per mezzo del Signore nostro Gesù Cristo»[71] che «ci ha chiamati dalle tenebre alla sua luce meravigliosa»[72], mentre, per mezzo di queste luci donateci nella realtà esterna, ci disponiamo a rientrare nella nostra anima, nella quale, come in uno specchio, risplendono le perfezioni divine.

CAPITULUM III

De speculatione Dei per suam imaginem
naturalibus potentiis insignitam

1. Quoniam autem duo gradus praedicti, ducendo nos in Deum *[194]* per vestigia sua, per quae in cunctis creaturis relucet, manuduxerunt nos usque ad hoc, ut ad nos reintraremus, in mentem scilicet nostram, in qua divina relucet imago; hinc est, quod iam tertio loco, ad nosmetipsos intrantes et quasi atrium forinsecus relinquentes, in sanctis, scilicet anteriori parte tabernaculi, conari debemus per speculum videre Deum: ubi ad modum candelabri relucet lux veritatis in facie nostrae mentis, in qua scilicet resplendet imago beatissimae Trinitatis.

Intra igitur ad te et vide, quoniam mens tua amat ferventissime semetipsam; nec se posset amare, nisi se nosset; nec se nosset, nisi sui meminisset, quia nihil capimus per intelligentiam, quod non sit praesens apud nostram memoriam; et ex hoc advertis, animam tuam triplicem habere potentiam, non oculo carnis, sed oculo rationis. Considera igitur harum trium potentiarum operationes et habitudines, et videre poteris Deum per te tanquam per imaginem, quod est videre *per speculum in aenigmate.*

2. Operatio autem memoriae est retentio et repraesentatio non solum praesentium, corporalium et tempo-

CAPITOLO III

*Come si conosce Dio specularmente per mezzo
della sua immagine impressa nelle facoltà naturali*

1. Dunque, le prime due tappe sopra ricordate, guidandoci fino a Dio *[194]* attraverso le sue vestigia, per mezzo delle quali risplende in tutte le creature, ci hanno condotti per mano fino a rientrare nella nostra anima, in cui risplende l'immagine di Dio. Ne segue che, giunti ormai alla terza tappa, dopo essere rientrati in noi stessi ed avere lasciato, per così dire, la porta alle nostre spalle, dobbiamo sforzarci di vedere Dio, come attraverso uno specchio, nel Santo, cioè nel primo vano del Tabernacolo[73]. Qui, come diffondendosi da un candelabro, la luce della verità risplende sul volto della nostra anima, nella quale riluce l'immagine della Trinità beata.

Rientra, dunque, in te stesso e osserva come la tua mente ama ardentemente se stessa. Ma non potrebbe amarsi se non si conoscesse, né potrebbe conoscersi se non avesse memoria di sé, dato che non comprendiamo nulla che non sia presente alla nostra memoria. Tutto ciò ti conduce a riconoscere, non con l'occhio del corpo, ma con quello della ragione[74], che la tua anima è dotata di tre facoltà. Considera, quindi, l'attività e il reciproco rapporto di queste tre facoltà e potrai vedere Dio per mezzo di te, come per mezzo di una sua immagine; in ciò consiste il vedere «non distintamente, ma come per mezzo di uno specchio»[75].

2. L'attività della memoria consiste nel ritenere e nel rappresentarsi non soltanto le realtà presenti, corporee e

ralium, verum etiam succedentium, simplicium et sempiternalium. – Retinet namque memoria praeterita per recordationem, praesentia per susceptionem, futura per praevisionem. – Retinet etiam simplicia, sicut principia quantitatum continuarum et discretarum, ut punctum, instans et unitatem, sine quibus impossibile est meminisse aut cogitare ea quae principiantur per haec. – Retinet nihilominus scientiarum principia et dignitates ut sempiternalia et sempiternaliter, quia nunquam potest sic oblivisci eorum, dum ratione utatur, quin ea audita approbet et eis assentiat, non tanquam de novo percipiat, sed tanquam sibi innata et familiaria recognoscat; sicut patet, si proponatur alicui: «De quolibet affirmatio, vel negatio»; *[195]* vel: «Omne totum est maius sua parte», vel quaecumque alia dignitas, cui non est contradicere «ad interius rationem».

Ex prima igitur retentione actuali omnium temporalium, praeteritorum scilicet, praesentium et futurorum, habet effigiem aeternitatis, cuius praesens indivisibile ad omnia tempora se extendit. – Ex secunda apparet, quod ipsa non solum habet ab exteriori formari per phantasmata, verum etiam a superiori suscipiendo et in se habendo simplices formas, quae non possunt introire per portas sensuum et sensibilium phantasias. – Ex tertia habetur, quod ipsa habet lucem incommutabilem sibi praesentem, in qua meminit invariabilium veritatum. – Et sic per operationes memoriae apparet, quod ipsa anima est imago Dei et similitudo adeo sibi praesens et eum habens praesentem, quod eum actu capit et per potentiam «capax eius et particeps esse potest».

che esistono nel tempo, ma anche le realtà che si susseguono, quelle semplici e quelle eterne. La memoria, infatti, conserva mediante il ricordo gli avvenimenti passati, acquisce quelli presenti e prevede quelli futuri. Essa conserva, altresì, i principi semplici, come ad esempio quelli su cui si fondano le quantità continue e distinte, quali il punto, l'istante, l'unità, senza i quali non è possibile ricordare né pensare le nozioni che hanno origine in virtù di essi. La memoria, inoltre, conserva i principi e gli assiomi delle scienze e li conserva come eterni ed eternamente validi, poiché non può mai dimenticarli finché fa uso della ragione, dato che, appena ne sente parlare, li approva e dà ad essi il proprio assenso, non come percependo qualcosa di nuovo, ma piuttosto come riconoscendovi dei principi innati e ad essa familiari. Ciò appare chiaro se sottoponiamo a qualcuno affermazioni di questo genere: «di ogni cosa si deve o affermare o negare *[195]* che esista»; oppure: «il tutto è maggiore della sua parte», o qualunque altro assioma di cui non può essere contraddetta la legge intrinseca[76].

Quindi, in forza della sua prima operazione, che consiste nel ricordare in modo attuale tutte le realtà temporali – cioè passate, presenti e future –, la memoria possiede un'immagine dell'eternità, il cui indivisibile presente abbraccia tutti i tempi. In forza della sua seconda operazione, appare chiaro che essa deve essere informata non soltanto dalla realtà esterna, per mezzo di immagini sensibili, ma anche ricevendo da un principio ad essa superiore e possedendo in se stessa delle forme semplici, che non possono penetrare in essa per mezzo della porta dei sensi o attraverso immagini sensibili. In forza della sua terza operazione, segue che in essa è presente una luce immutabile, in cui conserva il ricordo delle verità non soggette a mutamento. In tal modo, le operazioni della memoria manifestano che l'anima è, per se stessa, immagine e similitudine di Dio; essa è così presente a se stessa e ha Dio così presente a sé, da afferrarlo in atto e potenzialmente «da essere capace di lui ed esserne partecipe»[77].

3. Operatio autem virtutis intellectivae est in percep-
tione intellectus terminorum, propositionum et illatio-
num. – Capit autem intellectus terminorum significata,
cum comprehendit, quid est unumquodque per defini-
tionem. Sed definitio habet fieri per superiora, et illa per
superiora definiri habent, usquequo veniatur ad suprema et generalissima, quibus ignoratis, non possunt intelligi definitive inferiora. Nisi igitur cognoscatur, quid est
ens per se, non potest plene sciri definitio alicuius spe-
cialis substantiae. Nec ens per se cognosci potest, nisi
cognoscatur cum suis conditionibus, quae sunt: unum,
verum, bonum. Ens autem, cum possit cogitari ut diminutum et ut completum, ut imperfectum et ut perfectum, ut ens in potentia et ut ens in actu, ut ens secundum quid et ut ens simpliciter, ut ens in parte et ut ens
totaliter, ut ens transiens et ut ens manens, ut ens per
aliud et ut ens per se, ut ens permixtum non-enti et ut
ens purum, ut ens dependens et ut ens absolutum, ut
ens posterius et ut ens prius, ut ens mutabile et ut ens
immutabile, ut ens simplex et ut ens compositum: cum
privationes et defectus nullatenus possint cognosci nisi
per positiones, non venit intellectus noster ut plene
resolvens intellectum alicuius [196] entium creatorum,
nisi iuvetur ab intellectu entis purissimi, actualissimi,
completissimi et absoluti, quod est ens simpliciter et
aeternum, in quo sunt rationes omnium in sua puritate.
Quomodo autem sciret intellectus, hoc esse ens defecti-
vum et incompletum, si nullam haberet cognitionem
entis absque omni defectu? Et sic de aliis conditionibus
praelibatis.

Intellectum autem propositionum tunc intellectus

3. L'operare dell'intelletto consiste, per contro, nell'afferrare il significato dei termini, delle proposizioni e delle deduzioni. L'intelletto, poi, comprende il significato dei termini quando ne comprende la definizione. Ma una definizione deve essere data, facendo riferimento a termini più generali, e questi, a loro volta, devono essere definiti facendo riferimento a termini ancora più generali, fino a giungere a quei concetti supremi e generalissimi, ignorati i quali non è possibile comprendere in modo definitorio ciò che è incluso in essi. Quindi, se non si conosce che cosa è l'ente per sé, non si può conoscere pienamente la definizione di alcuna sostanza particolare. D'altra parte, non si può conoscere l'ente per sé, se non si conoscono insieme le sue proprietà, che sono l'uno, il vero, il bene. Inoltre, possiamo pensare l'ente come incompleto e come completo, come imperfetto e come perfetto, come ente in potenza e come ente in atto, come ente sotto un aspetto particolare e come ente assoluto, come ente parziale e come ente totale, come ente transeunte e come ente permanente, come ente determinato ad esistere da un altro ente e come ente che esiste per se stesso, come ente frammisto al non-ente e come ente puro, come ente dipendente e come ente in senso assoluto, come ente posteriore e come ente originario, come ente soggetto al mutamento e come ente immutabile, come ente semplice e come ente composto. Ora, dato che le deficienze e le manchevolezze possono essere conosciute soltanto per mezzo del positivo, il nostro intelletto non può analizzare pienamente la nozione di un qualsiasi [196] ente creato se non per mezzo della nozione dell'ente totalmente puro, in atto, completo ed assoluto, che è l'ente semplicemente ed eterno, in cui sussistono, nella loro purezza, gli archetipi intelligibili di tutte le cose. Come, infatti, l'intelletto potrebbe sapere che questo ente è manchevole e incompleto, se non avesse alcuna nozione dell'ente assolutamente perfetto? Lo stesso vale per le altre condizioni dell'ente cui si è fatto cenno.

L'intelletto, poi, comprende veramente il significato

dicitur veraciter comprehendere, cum certitudinaliter
scit, illas veras esse; et hoc scire est scire, quoniam non
potest falli in illa comprehensione. Scit enim, quod veritas illa non potest aliter se habere; scit igitur, illam veritatem esse incommutabilem. Sed cum ipsa mens nostra
sit commutabilis, illam sic incommutabiliter relucentem
non potest videre nisi per aliquam lucem omnino
incommutabiliter radiantem, quam impossibile est esse
creaturam mutabilem. Scit igitur in illa luce, *quae illuminat omnem hominem venientem in hunc mundum*, quae
est *lux vera* et *Verbum in principio apud Deum*.

Intellectum vero illationis tunc veraciter percipit
noster intellectus, quando videt, quod conclusio necessario sequitur ex praemissis; quod non solum videt in
terminis necessariis, verum etiam in contingentibus, ut:
si homo currit, homo movetur. Hanc autem necessariam
habitudinem percipit non solum in rebus entibus,
verum etiam in non-entibus. Sicut enim, homine exsistente, sequitur: si homo currit, homo movetur; sic
etiam, non exsistente. Huiusmodi igitur illationis neces-
sitas non venit ab exsistentia rei in materia, quia est con-
tingens, nec ab exsistentia rei in anima, quia tunc esset
fictio, si non esset in re; venit igitur ab exemplaritate in
arte aeterna, secundum quam res habent aptitudinem et
habitudinem ad invicem secundum illius aeternae artis
repraesentationem. Omnis igitur, ut dicit Augustinus De
vera *[197]* religione, vere ratiocinantis lumen accenditur
ab illa veritate et ad ipsam nititur pervenire. – Ex quo
manifeste apparet, quod coniunctus sit intellectus noster
ipsi aeternae veritati, dum non nisi per illam docentem

delle proposizioni quando sa con certezza che sono vere.
Questo è vero sapere, perché l'intelletto non può ingan-
narsi quando conosce in questo modo. Sa, infatti, che
quella verità non può configurarsi in maniera diversa; sa,
pertanto, che quella verità è immutabile. Ma dato che la
nostra mente[78] è mutevole, non può vedere quella verità
che riluce in maniera immutabile, se non per mezzo di
una luce che risplende in maniera del tutto immutabile, e
che non può essere, quindi, una realtà creata, soggetta al
mutamento. L'intelletto, pertanto, conosce in quella luce
«che illumina ogni uomo che viene in questo mondo»[79],
che è «la vera luce», «il Verbo che è fin dal principio presso Dio»[80].

Il nostro intelletto, poi, afferra veramente il significato
di una deduzione quando vede che la conclusione deriva
necessariamente dalle premesse; il che vede non soltanto
nei termini che enunciano un fatto necessario, ma anche
in quelli che enunciano un fatto contingente, come: «se un
uomo corre, si muove». L'intelletto afferra la necessità di
questo rapporto non soltanto nelle cose realmente esistenti, ma anche in quelle non esistenti. Infatti, resta sempre
vero che «se un uomo corre, si muove», sia che vi sia un
uomo che corre effettivamente sia che non vi sia. Pertanto, la necessità di una deduzione di questo genere non deriva dal fatto che una cosa esiste realmente, dato che si
tratta di una cosa contingente, e neppure dal fatto che
questa cosa esiste nella nostra mente, dato che, se non esistesse nella realtà, non sarebbe che un prodotto dell'im-
maginazione. Questa necessità deriva, dunque, dal modello presente all'operare divino, conformemente al quale le
cose si connettono e si rapportano reciprocamente, secondo la loro capacità di esprimere quell'operare divino[81].
Quindi, come afferma Agostino nel *De vera religione*[82],
[197] chiunque ragiona veracemente viene illuminato dalla
Verità eterna e si sforza di pervenire ad essa. Da ciò appare in modo manifesto che il nostro intelletto è congiunto
con la stessa Verità eterna, proprio nel momento in cui

nihil verum potest certitudinaliter capere. Videre igitur per te potes veritatem, quae te docet, si te concupiscentiae et phantasmata non impediant et se tamquam nubes inter te et veritatis radium non interponant.

4. Operatio autem virtutis electivae attenditur in consilio, iudicio et desiderio. – Consilium autem est in inquirendo, quid sit melius, hoc an illud. Sed melius non dicitur nisi per accessum ad optimum; accessus autem est secundum maiorem assimilationem; nullus ergo scit utrum hoc sit illo melius, nisi sciat, illud optimo magis assimilari. Nullus autem scit, aliquid alii magis assimilari, nisi illud cognoscat; non enim scio, hunc esse similem Petro, nisi sciam vel cognoscam Petrum: omni igitur consilianti necessario est impressa notio summi boni.

Iudicium autem certum de consiliabilibus est per aliquam legem. Nullus autem certitudinaliter iudicat per legem, nisi certus sit, quod illa lex recta est, et quod ipsam iudicare non debet; sed mens nostra iudicat de se ipsa; cum igitur non possit iudicare de lege, per quam iudicat, lex illa superior est mente nostra, et per hanc iudicat, secundum quod sibi impressa est. Nihil autem est superius mente humana, nisi solus ille qui fecit eam: igitur in iudicando deliberativa nostra pertingit ad divinas leges, si plena resolutione dissolvat.

Desiderium autem principaliter est illius quod maxime ipsum movet. Maxime autem movet quod maxime amatur; maxime autem amatur esse beatum; beatum autem esse non habetur nisi per optimum et finem ulti-

non può afferrare in modo certo nulla di vero, se essa non glielo insegna[83]. Pertanto, puoi vedere da te la Verità che ti ammaestra, purché i desideri e le immagini sensibili non te lo impediscano, interponendosi come nubi fra te e il raggio della Verità.

4. L'operare della volontà si esplica nella valutazione, nel giudizio e nel desiderio. La valutazione consiste nel ricercare che cosa sia meglio, se una cosa o un'altra. Ma il meglio non può essere definito se non in riferimento all'ottimo, e questo riferimento si basa su una maggiore o minore somiglianza con l'ottimo. Nessuno, perciò, sa se una cosa sia migliore di un'altra, se non sa che essa assomiglia di più all'ottimo. D'altra parte, nessuno sa che una cosa assomiglia di più ad un'altra, se non conosce quest'ultima; infatti, non posso sapere che quest'uomo assomiglia a Pietro, se non conosco Pietro o non so chi egli sia. In tutti coloro che compiono una valutazione è dunque impressa necessariamente la nozione del sommo Bene[84].

A sua volta, un giudizio sicuro circa le cose soggette a valutazione si ha grazie ad una legge. D'altra parte, nessuno giudica con certezza basandosi su una legge, se non è certo che quella legge è giusta e non deve essere a sua volta giudicata. Ora, la nostra anima giudica se stessa. Poiché, dunque, quella legge, mediante la quale giudica, non può essere a sua volta giudicata, tale legge è superiore alla nostra anima, la quale giudica per suo mezzo nella misura in cui quella è ad essa presente. Ma nulla è superiore all'anima umana, se non colui solo che l'ha creata; pertanto, la nostra facoltà deliberativa attinge, nel giudicare, le stesse leggi divine, a condizione che decida con una perfetta risoluzione.

Si ha, poi, desiderio principalmente di ciò che soprattutto attira; ma, soprattutto, attira ciò che massimamente amiamo, e ciò che massimamente amiamo è lo stato di felicità perfetta. Ora, non si possiede questo stato di felicità perfetta, se non si perviene al Bene sommo e al fine ulti-

mum: nihil *[198]* igitur appetit humanum desiderium
nisi quia summum bonum, vel quia est ad illud, vel quia
habet aliquam effigiem illius. Tanta est vis summi boni,
ut nihil nisi per illius desiderium a creatura possit amari,
quae tunc fallitur et errat, cum effigiem et simulacrum
pro veritate acceptat.

Vide igitur, quomodo anima Deo est propinqua, et
quomodo memoria in aeternitatem, intelligentia in veritatem, electiva potentia ducit in bonitatem summam
secundum operationes suas.

5. Secundum autem harum potentiarum ordinem et
originem et habitudinem ducit in ipsam beatissimam
Trinitatem. – Nam ex memoria oritur intelligentia ut
ipsius proles, quia tunc intelligimus, cum similitudo,
quae est in memoria, resultat in acie intellectus, quae
nihil aliud est quam verbum; ex memoria et intelligentia
spiratur amor tanquam nexus amborum. Haec tria, scilicet mens generans, verbum et amor, sunt in anima
quoad memoriam, intelligentiam et voluntatem, quae
sunt consubstantiales, coaequales et coaevae, se invicem
circumincedentes. Si igitur Deus perfectus est spiritus,
habet memoriam, intelligentiam et voluntatem, habet et
Verbum genitum et Amorem spiratum, qui necessario
distinguuntur, cum unus ab altero producatur, non
essentialiter, non accidentaliter, ergo personaliter.

Dum igitur mens se ipsam considerat, per se tanquam per speculum consurgit ad speculandam
Trinitatem beatam Patris, Verbi et Amoris, trium personarum coaeternarum, coaequalium et consubstantia-
lium, ita quod quilibet in quolibet est aliorum, unus
tamen non est alius, sed ipsi tres sunt unus Deus.

6. Ad hanc speculationem, quam habet anima de suo
principio trino et uno per trinitatem suarum potentiarum, per quas est imago Dei, iuvatur per lumina scien-

mo. Di conseguenza, il desiderio dell'uomo non appetisce nulla *[198]*, se non perché è il sommo Bene, o perché indirizza ad esso, o perché ha in sé una qualche somiglianza con esso. È tanto grande la capacità di attrarre propria del sommo Bene, che la creatura non può amare nulla, se non per desiderio di esso, ed essa si inganna ed erra quando prende l'immagine e la parvenza per la realtà.

Vedi, dunque, come l'anima sia vicina a Dio e come la memoria con il suo operare ci conduca alla sua eternità, l'intelligenza alla sua verità, la volontà alla sua bontà somma.

5. L'ordine, l'origine ed il rapporto reciproco di queste tre facoltà ci conducono, poi, alla stessa Trinità beatissima. Infatti, dalla memoria trae origine l'intelligenza, che ne è come figlia, poiché noi comprendiamo quando l'immagine delle cose, presente nella memoria, prende vigore nell'acume dell'intelletto, il quale non è altro che la parola interiore. Dalla memoria e dall'intelligenza scaturisce l'amore come vincolo di entrambi. Queste tre realtà, cioè la mente che genera, la parola interiore e l'amore, sono nell'anima in rapporto con la memoria, l'intelligenza e la volontà, che sono consostanziali, coeguali e coeve, compenetrandosi scambievolmente. Se, dunque, Dio è perfetto spirito, ha memoria, intelligenza e volontà, ha un Verbo generato e un Amore che spira, i quali, procedendo l'uno dall'altro, necessariamente si distinguono non nell'essenza, né accidentalmente, ma come persone.

Quando dunque l'anima considera se stessa, si eleva per mezzo di sé, come per mezzo di uno specchio, alla conoscenza speculare della Trinità beata, del Padre, del Verbo e dell'Amore, delle tre persone coeterne, perfettamente uguali, consostanziali, così che ognuna è in ciascuna delle altre due, e tuttavia l'una non è l'altra, ma tutte e tre sono un solo Dio.

6. Per giungere a questa conoscenza speculare del suo Principio uno e trino, cui perviene per mezzo delle sue tre facoltà che la rendono immagine di Dio, l'anima si giova

tiarum, quae ipsam perficiunt et informant et Trinitatem
beatissimam tripliciter repraesentant. – Nam omnis philosophia aut est naturalis, aut rationalis, aut moralis.
Prima agit de causa essendi, et ideo ducit in potentiam
Patris; secunda de ratione intelligendi, et ideo ducit in
sapientiam Verbi; tertia de ordine vivendi, et ideo ducit
in bonitatem Spiritus sancti.

[199] Rursus, prima dividitur in metaphysicam,
mathematicam et physicam. Et prima est de rerum
essentiis, secunda de numeris et figuris, tertia de naturis,
virtutibus et operationibus diffusivis. Et ideo prima in
primum principium, Patrem, secunda in eius imaginem,
Filium, tertia ducit in Spiritus sancti donum.

Secunda dividitur in grammaticam, quae facit poten-
tes ad exprimendum; in logicam, quae facit perspicaces
ad arguendum; in rhetoricam, quae facit habiles ad per-
suadendum sive movendum. Et hoc similiter insinuat
mysterium ipsius beatissimae Trinitatis.

Tertia dividitur in monasticam, oeconomicam et
politicam. Et ideo prima insinuat primi principii innasci-
bilitatem, secunda Filii familiaritatem, tertia Spiritus
sancti liberalitatem.

7. Omnes autem hae scientiae habent regulas certas
et infallibiles tanquam lumina et radios descendentes a
lege aeterna in mentem nostram. Et ideo mens nostra
tantis splendoribus irradiata et superfusa, nisi sit caeca,
manuduci potest per semetipsam ad contemplandam
illam lucem aeternam. Huius autem lucis irradiatio et
consideratio sapientes suspendit in admirationem et
econtra insipientes, qui non credunt, ut intelligant, ducit
in perturbationem, ut impleatur illud propheticum:
*Illuminans tu mirabiliter a montibus aeternis, turbati
sunt omnes insipientes corde.*

della luce delle scienze che la perfezionano, la informano ed esprimono in tre modi la Trinità beatissima. La filosofia, infatti, si divide in naturale, razionale e morale[85]. La prima tratta della causa dell'esistere, e pertanto ci conduce alla potenza del Padre; la seconda tratta del criterio del conoscere, e pertanto ci conduce alla sapienza del Verbo; la terza tratta dell'ordinamento del vivere, e pertanto ci conduce alla bontà dello Spirito Santo.

[199] Inoltre, la filosofia naturale si divide in metafisica, matematica e fisica. La prima studia le essenze delle cose, la seconda i numeri e le figure, la terza le realtà naturali, le loro qualità e il loro operare, per mezzo di cui si propagano. Di conseguenza, la prima ci conduce al primo Principio, al Padre; la seconda alla sua Immagine, al Figlio; la terza al dono dello Spirito Santo.

La filosofia razionale comprende la grammatica, che ci pone in grado di esprimerci con efficacia; la logica, che ci rende perspicaci nell'argomentare; la retorica, che ci rende capaci di convincere gli altri e di muovere i loro animi. Anch'esse, in modo simile alle precedenti, ci suggeriscono il mistero della stessa beatissima Trinità.

La filosofia morale si divide in morale individuale, in morale domestica e in politica[86]. La prima ci fa comprendere che il primo Principio non ha inizio, la seconda l'intimo legame di familiarità del Figlio col Padre, la terza la benignità dello Spirito Santo.

7. Tutte queste scienze, poi, possiedono regole certe e infallibili che, come luci e raggi, discendono sulla nostra anima dalla legge eterna. Per questo, la nostra anima, irradiata e inondata dall'alto da splendori tanto grandi, se non è cieca può dirigersi da se stessa alla contemplazione dell'eterna luce. L'irradiazione e la contemplazione di questa luce rendono pieni di ammirazione i sapienti, mentre confondono gli insipienti, i quali non credono per poter comprendere, affinché si compia il detto profetico: «Mentre tu rifulgi mirabilmente dai monti eterni, restano confusi nei loro cuori tutti gli insipienti»[87].

CAPITULUM IV

*De speculatione Dei in sua imagine
donis gratuitis reformata*

1. Sed quoniam non solum per nos transeundo,
verum etiam in nobis contingit contemplari primum
principium, et hoc maius est quam praecedens: ideo hic
modus considerandi quartum obtinet contemplationis
gradum. Mirum autem videtur, cum ostensum sit, quod
Deus sit ita propinquus mentibus nostris, quod tam
paucorum est in se ipsis primum principium speculari.
Sed ratio est in promptu, quia mens humana, sollicitudi-
nibus distracta, non intrat ad se per memoriam; phantasmatibus obnubilata, non redit ad se per intelligentiam; concupiscentiis illecta, ad se ipsam nequaquam
revertitur per desiderium suavitatis internae et laetitiae
spiritualis. Ideo totaliter in his sensibilibus iacens, non
potest ad se tanquam ad Dei imaginem reintrare.

2. Et quoniam, ubi quis ceciderit, necesse habet ibidem recumbere, nisi apponat quis et *adiiciat, ut resurgat*,
non potuit anima nostra perfecte ab his sensibilibus
[200] relevari ad contuitum sui et aeternae Veritatis in se
ipsa, nisi Veritas, assumpta forma humana in Christo,
fieret sibi scala reparans priorem scalam, quae fracta
fuerat in Adam.

Ideo, quantumcumque sit illuminatus quis lumine

CAPITOLO IV

Come si conosce Dio specularmente
nella sua immagine rinnovata dai doni della grazia

1. Ma poiché è possibile non soltanto contemplare il primo Principio passando attraverso noi stessi, ma anche restando in noi stessi, e questa contemplazione è più alta della precedente, ne segue che questo modo di considerare costituisce il quarto grado della contemplazione. Desta meraviglia che siano tanto pochi coloro che sanno vedere specularmente in se stessi il primo Principio, pur essendo Dio – come si è mostrato[88] – così vicino alle nostre anime. Ma il motivo di ciò è evidente, in quanto l'anima umana, distratta dalle preoccupazioni, non rientra in se stessa mediante la memoria; offuscata dalle immagini sensibili, non rientra in se stessa mediante l'intelligenza; allettata dai desideri della concupiscenza, non rientra in se stessa mediante il desiderio della dolcezza interiore e della letizia spirituale. Quindi, tutta immersa nelle realtà sensibili, non è in grado di rientrare in se stessa come nell'immagine di Dio.

2. E dato che, quando uno è caduto, deve necessariamente restare là dove è caduto, a meno che qualcuno non gli si ponga al fianco e «lo aiuti a risollevarsi»[89], la nostra anima non sarebbe stata in grado di sollevarsi perfettamente da queste realtà sensibili *[200]* fino a conuire sé e la Verità eterna in se stessa, se la Verità, assunta forma umana in Cristo, non fosse divenuta scala che ripristina quella precedente, che era stata spezzata in Adamo.

Di conseguenza, nessuno, per quanto sia illuminato

naturae et scientiae acquisitae, non potest intrare in se, ut in se ipso *delectetur in Domino*, nisi mediante Christo, qui dicit: *Ego sum ostium. Per me si quis introierit, salvabitur et ingredietur et egredietur et pascua inveniet.* Ad hoc autem ostium non appropinquamus, nisi in ipsum credamus, speremus et amemus. Necesse est igitur, si reintrare volumus ad fruitionem Veritatis tanquam ad paradisum, quod ingrediamur per fidem, spem et caritatem mediatoris Dei et hominum Iesu Christi, qui est tanquam *lignum vitae in medio paradisi.*

3. Supervestienda est igitur imago mentis nostrae tribus virtutibus theologicis, quibus anima purificatur, illuminatur et perficitur, et sic imago reformatur et conformis supernae Ierusalem efficitur et pars Ecclesiae militantis, quae est proles, secundum Apostolum, Ierusalem caelestis. Ait enim: *Illa quae sursum est Ierusalem libera est, quae est mater nostra.* – Anima igitur credens, sperans et amans Iesum Christum, qui est Verbum incarnatum, increatum et inspiratum, scilicet *via, veritas* et *vita*, dum per fidem credit in Christum tanquam in Verbum increatum, quod est Verbum et splendor Patris, recuperat spiritualem auditum et visum: auditum ad suscipiendum Christi sermones, visum ad considerandum illius lucis splendores. Dum autem spe suspirat ad suscipiendum Verbum inspiratum, per desiderium et affectum recuperat spiritualem olfactum. Dum caritate complectitur Verbum incarnatum, ut suscipiens ab ipso delectationem et ut transiens in illud per ecstaticum amorem, recuperat gustum et tactum. Quibus sensibus recuperatis, dum sponsum suum videt *[201]* et audit, odoratur, gustat et amplexatur, decantare potest tanquam sponsa Canticum canticorum, quod factum fuit ad exercitium contemplationis secundum hunc quartum gradum, quem *nemo* capit, *nisi qui accipit*, quia magis est in experientia affectuali quam in consideratione rationali. In

dalla luce che gli proviene dalla natura e dal sapere acqui-
sito, può rientrare in se stesso, «per trovare diletto nel Signore»[90], se non mediante Cristo, che dice[91]: «Io sono la
porta: chi entrerà per me sarà salvo, ed entrerà e uscirà e
troverà pascolo». Ma non ci avviciniamo a questa porta se
non crediamo e speriamo in lui e se non lo amiamo. Dunque, se vogliamo ritornare a fruire della Verità, come nel
paradiso, è necessario entrare in essa per mezzo della fede,
della speranza e della carità di Gesù Cristo, Mediatore tra
Dio e gli uomini, che è come «l'albero della vita posto nel
mezzo del paradiso»[92].

3. Bisogna quindi che la nostra anima, immagine di
Dio, si rivesta delle tre virtù teologali, dalle quali viene purificata, illuminata e resa perfetta, così che la sua immagine sia restaurata[93] e resa conforme alla Gerusalemme celeste e parte della Chiesa militante, che è figlia, secondo
l'Apostolo, della Gerusalemme celeste. Egli afferma, infatti: «La Gerusalemme di lassù è libera ed è madre nostra»[94].
Dunque, l'anima che crede, spera e ama Gesù Cristo, che
è il Verbo incarnato, increato e ripieno di Spirito[95], cioè
«la via, la verità e la vita»[96], mentre crede, per mezzo della
fede, in Cristo come Verbo increato, che è Verbo e splendore del Padre, riacquista l'udito e la vista dello spirito:
l'udito, per accogliere le parole di Cristo; la vista, per considerare lo splendore della sua luce. Mentre desidera ardentemente, mediante la speranza, ricevere il Verbo ripieno di Spirito, riacquista, per mezzo dell'ardore del desiderio, l'olfatto dello spirito. Mentre abbraccia con la carità il
Verbo incarnato, per riceverne diletto e passare in lui per
mezzo dell'amore estatico, riacquista il gusto e il tatto dello spirito. Riacquistati questi sensi spirituali, l'anima, mentre vede, sente, coglie il profumo, gusta e abbraccia il suo
sposo, *[201]* può cantare come la sposa del Cantico dei
Cantici[97], che fu composto al fine di esercitarsi in questo
quarto grado della contemplazione «che nessuno» conosce «all'infuori di chi lo riceve»[98], poiché consiste più in
un'esperienza dell'affetto che in una considerazione da

hoc namque gradu, reparatis sensibus interioribus ad
sentiendum summe pulcrum, audiendum summe har-
monicum, odorandum summe odoriferum, degustandum summe suave, apprehendendum summe delectabi-
le, disponitur anima ad mentales excessus, scilicet per
devotionem, admirationem et exsultationem, secundum
illas tres exclamationes, quae fiunt in Canticis canticorum. Quarum prima fit per abundantiam devotionis, per
quam fit anima *sicut virgula fumi ex aromatibus myrrhae
et thuris*: secunda per excellentiam admirationis, per
quam fit anima sicut aurora, luna et sol, secundum pro-
cessum illuminationum suspendentium animam ad
admirandum sponsum consideratum; tertia per superabundantiam exsultationis, per quam fit anima suavissi-
mae delectationis *deliciis affluens, innixa* totaliter *super
dilectum suum.*

4. Quibus adeptis, efficitur spiritus noster hierarchi-
cus ad conscendendum sursum secundum conformita-
tem ad illam Ierusalem supernam, in quam nemo intrat,
nisi prius per gratiam ipsa in cor descendat, sicut vidit
Ioannes in Apocalypsi sua. Tunc autem in cor descendit,
quando per reformationem imaginis, per virtutes theologicas et per oblectationes spiritualium sensuum et
suspensiones excessuum efficitur spiritus noster hierar-
chicus, scilicet purgatus, illuminatus et perfectus. – Sic
etiam gradibus novem ordinum insignitur, dum ordinate
in eo interius disponitur nuntiatio, dictatio, ductio, ordi-
natio, roboratio, imperatio, susceptio, revelatio, unctio,
quae gradatim correspondent novem ordinibus
Angelorum, ita quod primi trium praedictorum gradus
respiciunt in mente humana naturam, tres sequentes
industriam, et tres postremi gratiam. Quibus habitis,
anima intrando in se ipsam, intrat in supernam
Ierusalem, ubi ordines Angelorum considerans, videt in
eis Deum, qui habitans in eis omnes eorum operatur

parte della ragione. In questo grado, infatti, restaurati i sensi dello spirito per percepire la somma bellezza, ascoltare la somma armonia, sentire il profumo della somma fragranza, gustare la somma soavità, possedere il sommo diletto, l'anima si dispone ai rapimenti dell'estasi, mediante la devozione, l'ammirazione e l'esultanza, corrispondenti alle tre esclamazioni di gioia di cui parla il Cantico dei Cantici. La prima di esse nasce dall'abbondanza della devozione, mediante la quale l'anima diviene «come una piccola colonna di fumo che sorge dagli aromi della mirra e dell'incenso»[99]. La seconda nasce dalla sublimità dell'ammirazione, grazie alla quale l'anima diviene come l'aurora, la luna e il sole[100], secondo le illuminazioni progressive che la elevano all'ammirazione dello sposo, che essa considera. La terza nasce dal sovrabbondare dell'esultanza, mediante il quale l'anima è ricolmata delle delizie del più soave diletto totalmente «appoggiandosi al suo amato»[101].

4. Conseguito ciò, il nostro spirito è reso atto a salire più in alto, in conformità a quella Gerusalemme celeste nella quale nessuno può entrare, se prima essa stessa non scenda nel cuore mediante la grazia, come vide Giovanni nella sua Apocalisse[102]. Essa scende nel cuore quando, grazie alla sua immagine rinnovata, alle virtù teologali, al diletto dei suoi sensi spirituali ed ai rapimenti estatici, il nostro spirito è reso ordinato, cioè purificato, illuminato e perfetto. In tal modo, esso viene anche dotato di una gradualità di nove ordini, quando viene interiormente disposto ad annunciare, dettare, guidare, ordinare, rinvigorire, comandare, ricevere, rivelare, consacrare. Essi corrispondono, grado per grado, ai nove ordini angelici, in modo che nell'anima umana i primi tre ordini riguardano la natura, i tre seguenti la sua attività e gli ultimi tre la grazia. Una volta acquistate queste doti, l'anima, rientrando in se stessa, entra nella Gerusalemme celeste, dove, considerando gli ordini degli angeli, vede in questi Dio, che, dimorando in essi, è l'autore di tutte le loro opere. Perciò, Ber-

operationes. Unde dicit Bernardus ad Eugenium, quod
«Deus in Seraphim amat ut caritas, *[202]* in Cherubim
novit ut veritas, in Thronis sedet ut aequitas, in
Dominationibus dominatur ut maiestas, in Principatibus
regit ut principium, in Potestatibus tuetur ut salus, in
Virtutibus operatur ut virtus, in Archangelis revelat ut
lux, in Angelis assistit ut pietas». Ex quibus omnibus
videtur *Deus omnia in omnibus* per contemplationem
ipsius in mentibus, in quibus habitat per dona affluentis-
simae caritatis.

5. Ad huius autem speculationis gradum specialiter
et praecipue adminiculatur consideratio sacrae
Scripturae divinitus immissae, sicut philosophia ad prae-
cedentem. Sacra enim Scriptura principaliter est de operibus reparationis. Unde et ipsa praecipue agit de fide,
spe et caritate, per quas virtutes habet anima reformari,
et specialissime de caritate. De qua dicit Apostolus,
quod *est finis praecepti*, secundum quod est *de corde
puro et conscientia bona et fide non ficta*. Ipsa est *plenitudo Legis*, ut dicit idem. Et Salvator noster asserit, totam
Legem Prophetasque pendere in duobus praeceptis eiusdem, scilicet dilectione Dei et proximi; quae duo
innuuntur in uno sponso Ecclesiae Iesu Christo, qui
simul est proximus et Deus, simul frater et dominus,
simul etiam rex et amicus, simul Verbum increatum et
incarnatum, formator noster et reformator, ut *alpha* et
omega; qui etiam summus hierarcha est, purgans et illuminans et perficiens sponsam, scilicet totam Ecclesiam
et quamlibet animam sanctam.

6. De hoc igitur hierarcha et ecclesiastica hierarchia
est tota sacra Scriptura, per quam docemur purgari, illu-
minari et perfici, et hoc secundum triplicem legem in ea

nardo dice ad Eugenio[103] che «Dio nei Serafini ama in quanto è carità; *[202]* nei Cherubini conosce in quanto è verità; nei Troni siede in quanto è giustizia; nelle Dominazioni esercita la sua autorità in quanto è maestà; nei Principati governa in quanto principio; nelle Potestà protegge in quanto è salvezza; nelle Virtù opera in quanto è potenza; negli Arcangeli rivela in quanto è luce; negli Angeli assiste in quanto è clemenza». Da tutto ciò si vede che «Dio è tutto in tutti»[104], purché lo contempliamo nelle nostre anime, nelle quali dimora mediante i doni della sua sovrabbondante carità.

5. In questo grado della conoscenza speculare è la considerazione della Sacra Scrittura divinamente ispirata, che, soprattutto e in modo particolare, aiuta l'anima, così come nel grado precedente essa era aiutata dalla filosofia. La Sacra Scrittura, infatti, ha per oggetto principalmente l'opera della redenzione, per cui tratta soprattutto della fede, della speranza, della carità – virtù mediante le quali l'anima deve essere ricreata –, e della carità in modo particolarissimo. A proposito della carità, l'Apostolo afferma che «è il fine del precetto», in quanto essa nasce «da un cuore puro e da una coscienza buona e da una fede senza finzioni»[105]. Essa costituisce «il pieno compimento della Legge»[106], come egli stesso dice. Anche il nostro Salvatore afferma che tutta la Legge e i Profeti si fondano sui due precetti della carità, cioè sull'amore di Dio e sull'amore del prossimo[107]. Questi due precetti sono manifestati nell'unico sposo della Chiesa, Gesù Cristo, che è insieme nostro prossimo e Dio, fratello e Signore, nostro Re e amico, Verbo increato e incarnato, colui che ci ha creati e ricreati con la sua redenzione, «alfa e omega»[108]. Egli è, altresì, il sommo sacerdote, che purifica, illumina e rende perfetta la sposa, cioè tutta la Chiesa e ogni anima santa.

6. Di questo sommo sacerdote e di tutta la gerarchia ecclesiastica tratta, dunque, l'intera Sacra Scrittura, la quale ci insegna il modo in cui possiamo essere purificati, illuminati e resi perfetti. Questo avviene secondo la tripli-

traditam, scilicet naturae, Scripturae et gratiae; vel potius secundum triplicem partem eius principalem, legem scilicet Moysaicam purgantem, revelationem propheticam illustrantem et eruditionem evangelicam perficientem; vel potissimum secundum triplicem eius intelligentiam spiritualem: tropologicam, quae purgat ad honestatem vitae; allegoricam, quae illuminat ad claritatem intelligentiae; anagogicam, quae perficit per excessus mentales et sapientiae perceptiones suavissimas, secundum virtutes praedictas tres theologicas et sensus spirituales reformatos et excessus tres supradictos et actus mentis hierarchicos, quibus ad interiora regreditur mens nostra, ut ibidem speculetur Deum *in splendoribus Sanctorum* et in eisdem tanquam in cubilibus *dormiat [203] in pace et requiescat,* sponso adiurante, quod non excitetur, donec de eius voluntate procedat.

7. Ex his autem duobus gradibus mediis, per quos ingredimur ad contemplandum Deum intra nos tanquam in speculis imaginum creatarum, et hoc quasi ad modum alarum expansarum ad volandum, quae tenebant medium locum, intelligere possumus, quod in divina manuducimur per ipsius animae rationalis potentias naturaliter insitas quantum ad earum operationes, habitudines et habitus scientiales; secundum quod apparet ex tertio gradu. – Manuducimur etiam per ipsius animae potentias reformatas, et hoc gratuitis virtutibus, sensibus spiritualibus et mentalibus excessibus, sicut patet ex quarto. – Manuducimur nihilominus per hierarchicas operationes, scilicet purgationis, illuminationis et perfectionis mentium humanarum, per hierarchicas revelationes sacrarum Scripturarum nobis per Angelos datarum, secundum illud Apostoli, quod Lex data est *per*

ce legge tramandata in essa, cioè legge di natura, legge della Scrittura e legge di grazia[109]; o, piuttosto, secondo le tre parti principali di essa, ossia la legge di Mosè che purifica, la rivelazione profetica che illumina e la dottrina evangelica che rende perfetti[110]; o, ancor meglio, secondo i suoi tre sensi spirituali; quello tropologico, che ci purifica per avviarci a vivere onestamente; quello allegorico, che ci illumina al fine di darci chiarezza di comprensione; quello anagogico, che ci rende perfetti mediante l'estasi dell'anima e la soavissima percezione della sapienza[111], e ciò conformemente alle tre predette virtù teologali, ai sensi spirituali rinnovati dalla grazia, alle tre forme di rapimento estatico sopra ricordate e a tutti quegli atti ordinati della nostra anima, grazie ai quali essa rientra nell'intimo di se stessa per conoscervi specularmente Dio «negli splendori dei santi»[112], e in essi, come in un letto nuziale, «dormire e riposare in pace»[113], *[203]* mentre lo sposo scongiura che non la si svegli, finché a lei non piaccia[114].

7. In forza di queste due tappe intermedie, mediante le quali rientriamo a contemplare Dio dentro di noi, come in uno specchio in cui si riflettono le immagini delle cose create – e questo a somiglianza delle due ali poste nel mezzo e aperte al volo[115] –, possiamo comprendere che sono le stesse facoltà dell'anima razionale, insite in noi per natura, a condurci per mano alle realtà divine, con le loro operazioni, con il loro rapporto reciproco, con le disposizioni che esse hanno per le scienze, secondo quanto è apparso nella terza tappa. Anche le facoltà dell'anima rinnovate dalla grazia ci conducono per mano alle realtà divine per mezzo delle virtù infuse dalla grazia, per mezzo dei sensi spirituali e dei rapimenti estatici, secondo quanto è apparso nella quarta tappa. Nondimeno, siamo condotti a Dio mediante le attività ordinate, che purificano, illuminano e rendono perfette le anime umane, e mediante le rivelazioni ordinate della Sacra Scrittura donateci per mezzo degli angeli, conformemente all'affermazione dell'Apostolo, secondo cui la Legge è stata data «per mezzo degli an-

Angelos in manu Mediatoris. Et tandem manuducimur per hierarchias et hierarchicos ordines, qui in mente nostra disponi habent ad instar supernae Ierusalem.

8. Quibus omnibus luminibus intellectualibus mens nostra repleta, a divina Sapientia tanquam domus Dei inhabitatur, effecta Dei filia, sponsa et amica; effecta Christi capitis membrum, soror et coheres; effecta nihilominus Spiritus sancti templum, fundatum per fidem, elevatum per spem et Deo dedicatum per mentis et corporis sanctitatem. Quod totum facit sincerissima caritas Christi, quae *diffunditur in cordibus nostris per Spiritum sanctum, qui datus est nobis*, sine quo Spiritu non possumus scire secreta Dei. Sicut enim *quae sunt hominis* nemo potest scire *nisi spiritus hominis, qui est in illo; ita et quae sunt Dei nemo scit nisi spiritus Dei.* – In caritate igitur radicemur et fundemur, *ut possimus comprehendere cum omnibus Sanctis, quae sit longitudo* aeternitatis, quae *latitudo* liberalitatis, quae *sublimitas* maiestatis et quod *profundum* sapientiae iudicantis.

geli e per il tramite di un Mediatore»[116]. E, infine, siamo
condotti a Dio mediante la gerarchia e l'ordinamento gerarchico delle operazioni della nostra anima, le quali, in
essa, debbono disporsi a immagine della Gerusalemme
celeste.

8. Ricolma di tutte queste luci intellettuali, la nostra
anima, come casa di Dio, diviene dimora della Sapienza
divina, figlia, sposa e amica di Dio. Essa diviene una delle
membra di Cristo, nostro capo, sua sorella e coerede. Diviene, nondimeno, tempio dello Spirito Santo, fondato
sulla fede, costruito mediante la speranza, consacrato a
Dio nella santità dell'anima e del corpo. Tutto questo è
opera della purissima carità di Cristo, che «è riversata nei
nostri cuori per mezzo dello Spirito Santo elargitoci»[117].
Senza questo Spirito non ci è possibile conoscere i misteri
di Dio. Infatti, come nessuno può conoscere «le cose
dell'uomo, all'infuori dello spirito dell'uomo, che è in lui;
così, parimenti, nessuno conosce le cose di Dio fuorché lo
Spirito di Dio»[118]. Radichiamoci, dunque, e fondiamoci
sulla carità, «perché diveniamo capaci di comprendere,
insieme con tutti i santi», quale sia la lunghezza dell'eternità, quale la larghezza della benignità, quale l'altezza della maestà e quale la profondità della sapienza di colui che
giudica[119].

CAPITULUM V

De speculatione divinae unitatis
per eius nomen primarium, quod est esse

1. Quoniam autem contingit contemplari Deum non solum extra nos et intra nos, verum etiam supra nos: extra per vestigium, intra per imaginem et supra per lumen, quod est signatum supra mentem nostram, quod est lumen *[204]* Veritatis aeternae, cum «ipsa mens nostra immediate ab ipsa Veritate formetur»; qui exercitati sunt in primo modo intraverunt iam in atrium ante tabernaculum; qui vero in secundo, intraverunt in sancta; qui autem in tertio, intrant cum summo Pontifice in sancta sanctorum; ubi supra arcam sunt Cherubim gloriae obumbrantia propitiatorium; per quae intelligimus duos modos seu gradus contemplandi Dei invisibilia et aeterna, quorum unus versatur circa essentialia Dei, alius vero circa propria personarum.

2. Primus modus primo et principaliter defigit aspectum in ipsum esse, dicens, quod qui est est primum nomen Dei. Secundus modus defigit aspectum in ipsum bonum, dicens, hoc esse primum nomen Dei. Primum spectat potissime ad vetus testamentum, quod maxime

CAPITOLO V

*Come si conosce specularmente l'unità di Dio
per mezzo del suo primo nome, che è l'Essere*

1. Ora, avviene che Dio sia contemplato non soltanto
nelle realtà esterne a noi e in noi, ma anche nelle realtà superiori a noi: in quelle esterne a noi per mezzo delle sue
vestigia, in noi per mezzo della sua immagine, e nelle
realtà superiori a noi per mezzo di quella luce che è impressa nella nostra anima[120] e che è la luce *[204]* della Verità eterna, dato che «la nostra anima viene istruita direttamente dalla Verità stessa»[121]. Per questo, coloro che si
sono esercitati nel primo modo di contemplazione sono
già entrati nell'atrio che si trova davanti al Tabernacolo;
coloro, invece, che si sono esercitati nel secondo sono entrati nel Santo; coloro, poi, che si sono esercitati nel terzo
modo di contemplazione entrano col sommo sacerdote
nel Santo dei Santi, dove, sopra l'arca, si trovano i Cherubini della gloria che coprono con le loro ali il propiziatorio[122], e per mezzo dei quali comprendiamo simbolica-
mente i due modi o gradi della contemplazione delle
realtà invisibili ed eterne di Dio, di cui l'uno considera le
proprietà che appartengono all'essenza di Dio, l'altro, invece, le proprietà delle persone divine.

2. Il primo modo fissa lo sguardo, innanzi tutto e principalmente, sull'Essere stesso, affermando che il primo
nome di Dio è «Colui che è»[123]. Il secondo modo fissa lo
sguardo sul Bene stesso, affermando che questo è il primo
nome di Dio. Il primo modo riguarda in particolare il
Vecchio Testamento, il quale proclama soprattutto l'unità

praedicat divinae essentiae unitatem; unde dictum est Moysi: *Ego sum qui sum*; secundum ad novum, quod determinat personarum pluralitatem, baptizando *in nomine Patris et Filii et Spiritus sancti*. Ideo magister noster Christus, volens adolescentem, qui servaverat Legem, ad evangelicam levare perfectionem, nomen bonitatis Deo principaliter et praecise attribuit. *Nemo*, inquit, *bonus nisi solus Deus*. Damascenus igitur sequens Moysen dicit, quod qui est est primum nomen Dei; Dionysius sequens Christum dicit, quod bonum est primum nomen Dei.

3. Volens igitur contemplari Dei invisibilia quoad essentiae unitatem primo defigat aspectum in ipsum esse et videat, ipsum esse adeo in se certissimum, quod non potest cogitari non esse, quia ipsum esse *[205]* purissimum non occurrit nisi in plena fuga non-esse, sicut et nihil in plena fuga esse. Sicut igitur omnino nihil nihil habet de esse nec de eius conditionibus, sic econtra ipsum esse nihil habet de non-esse, nec actu nec potentia, nec secundum veritatem rei nec secundum aestimationem nostram. Cum autem non-esse privatio sit essendi, non cadit in intellectum nisi per esse; esse autem non cadit per aliud, quia omne, quod intelligitur, aut intelligitur ut non ens, aut ut ens in potentia, aut ut ens in actu. Si igitur non ens non potest intelligi nisi per ens, et ens in potentia non nisi per ens in actu; et esse nominat ipsum purum actum entis: esse igitur est quod primo cadit in intellectu, et illud esse est quod est purus actus. Sed hoc non est esse particulare, quod est esse arctatum, quia permixtum est cum potentia; nec esse analogum, quia minime habet de actu, eo quod minime est. Restat igitur, quod illud esse est esse divinum.

dell'essenza divina, per cui fu detto a Mosè: «Io sono colui che sono»[124]. Il secondo modo riguarda il Nuovo Testamento, il quale determina la pluralità delle persone divine, battezzando «nel nome del Padre, del Figlio e dello
Spirito Santo»[125]. Per questo, Cristo, nostro maestro, vo-
lendo elevare alla perfezione evangelica quel giovane che
aveva osservato la Legge, attribuì primariamente e assolutamente a Dio l'appellativo di buono. «Nessuno» disse «è
buono se non Dio solo»[126]. Quindi il Damasceno, seguendo Mosè, afferma che il primo nome di Dio è «Colui che
è»[127]. Dionigi, seguendo Cristo, afferma che il primo nome di Dio è «Bene»[128].

3. Di conseguenza, colui che vuole contemplare le
realtà invisibili di Dio rispetto all'unità dell'essenza, fissi
lo sguardo, prima di tutto, sull'essere stesso, e veda che
l'essere stesso è in sé certissimo, a tal punto che non è possibile pensarlo non esistente[129], poiché l'essere purissimo
[205] implica la totale esclusione del non-essere, così come il nulla implica la totale esclusione dell'essere. Come,
dunque, il nulla non possiede alcunché dell'essere e delle
sue proprietà, così, al contrario, l'essere stesso non possiede alcunché del non-essere, né in atto né in potenza, né
secondo la realtà né secondo la nostra considerazione.
Ora, dato che il non-essere è assenza di essere, non si fa
presente all'intelletto se non mediante l'essere; ma l'essere
non si fa presente mediante altro, poiché tutto ciò che si
comprende, o lo si comprende come non ente, o come ente in potenza, o come ente in atto. Se dunque il non ente
può venire compreso soltanto mediante l'ente, e l'ente in
potenza soltanto mediante l'ente in atto, e l'essere designa
lo stesso atto puro di essere, ne segue che l'essere è ciò
che per primo si fa presente all'intelletto, e questo essere è
atto puro. Ma quest'ultimo non è l'essere particolare – che
è un essere limitato, in quanto mescolato con la potenza –,
né l'essere analogo, poiché questo non è in atto, per il fatto che non è. Resta, perciò, stabilito che quell'essere è l'essere divino.

4. Mira igitur est caecitas intellectus, qui non considerat illud quod prius videt et sine quo nihil potest
cognoscere. Sed sicut oculus intentus in varias colorum
differentias lucem, per quam videt cetera, non videt, et
si videt, non advertit; sic oculus mentis nostrae, intentus
in entia particularia et universalia, ipsum esse extra
omne genus, licet primo occurrat menti, et per ipsum
alia, tamen non advertit. Unde verissime apparet, quod
«sicut oculus vespertilionis se habet ad lucem, ita se
habet oculus mentis nostrae ad manifestissima naturae»;
quia assuefactus ad tenebras entium et phantasmata sensibilium, cum ipsam *[206]* lucem summi esse intuetur,
videtur sibi nihil videre; non intelligens, quod ipsa caligo summa est mentis nostrae illuminatio, sicut quando
videt oculus puram lucem, videtur sibi nihil videre.

5. Vide igitur ipsum purissimum esse, si potes, et
occurrit tibi, quod ipsum non potest cogitari ut ab alio
acceptum; ac per hoc necessario cogitatur ut omnimode
primum, quod nec de nihilo nec de aliquo potest esse.
Quid enim est per se, si ipsum esse non est per se nec a
se? – Occurrit etiam tibi ut carens omnino non-esse ac
per hoc ut nunquam incipiens, nunquam desinens, sed
aeternum. – Occurrit etiam tibi ut nullo modo in se
habens, nisi quod est ipsum esse, ac per hoc ut cum
nullo compositum, sed simplicissimum. – Occurrit tibi
ut nihil habens possibilitatis, quia omne possibile aliquo
modo habet aliquid de non-esse, ac per hoc ut summe
actualissimum. – Occurrit ut nihil habens defectibilita-
tis, ac per hoc ut perfectissimum. – Occurrit postremo
ut nihil habens diversificationis, ac per hoc ut summe
unum.

4. Desta perciò meraviglia la cecità del nostro intelletto, che non considera ciò che vede prima di ogni altra cosa e senza del quale non può conoscere alcunché. Ma come l'occhio, quando presta attenzione alla varietà dei colori, non vede la luce, per mezzo della quale vede tutte le altre cose, e, se la vede, non la nota, così l'occhio della nostra anima, che presta attenzione agli enti particolari e universali, non nota l'essere al di là di ogni genere, benché per primo gli si presenti dinanzi, e, per suo mezzo, tutte le altre cose. Per cui appare verissimo che «come l'occhio del pipistrello si comporta nei confronti della luce, così anche l'occhio della nostra anima si comporta nei confronti delle cose, che in natura sono le più evidenti di tutte»[130]. Esso, abituato alla tenebra degli enti particolari e alle immagini delle realtà sensibili, quando fissa lo sguardo [206] sulla luce dell'essere sommo ha l'impressione di non vedere alcunché, non comprendendo che proprio quella somma tenebra è la luce della nostra anima, così come l'occhio, quando vede la pura luce, ha l'impressione di non vedere alcunché.

5. Tu, dunque, considera, se ti è possibile, l'essere purissimo e vedrai che non puoi pensare che abbia ricevuto l'essere da un altro; e perciò lo si deve pensare necessariamente come assolutamente primo, poiché non può derivare né dal nulla né da qualche altro essere. Che cosa, infatti, potrebbe esistere per sé, se l'essere stesso non esistesse per sé e da sé? Vedrai, altresì, che questo essere è totalmente privo di non-essere, e perciò senza principio, senza fine, ma eterno. Vedrai, inoltre, che non ha in sé, in alcun modo, qualcosa che sia estraneo all'essere stesso, e perciò che non è unito con nessuna altra cosa, ma è assolutamente semplice. Vedrai che in esso non vi è alcunché che sia ancora in potenza, poiché tutto ciò che è in potenza ha in qualche modo in sé una parte di non-essere, ed è perciò totalmente in atto. Vedrai che è privo di ogni imperfezione, ed è perciò in sommo grado perfetto. Vedrai, infine, che non ha in se stesso alcunché di diverso da sé, ed è perciò assolutamente uno.

Esse igitur, quod est esse purum et esse simpliciter et esse absolutum, est esse primarium, aeternum, simplicissimum, actualissimum, perfectissimum et summe unum.

6. Et sunt haec ita certa, quod non potest ab intelligente ipsum esse cogitari horum oppositum, et unum horum necessario infert aliud. Nam quia simpliciter est esse, ideo simpliciter primum; quia simpliciter primum, ideo non est ab alio factum, nec a se ipso potuit, ergo aeternum. Item, quia primum et aeternum, ideo non ex aliis, ergo simplicissimum. Item, quia primum, aeternum et simplicissimum, ideo nihil est in eo possibilitatis cum actu permixtum, et ideo actualissimum. Item, quia primum, aeternum, simplicissimum, actualissimum, ideo perfectissimum; tali omnino nihil deficit, neque aliqua potest fieri additio. Quia primum, aeternum, simplicissimum, actualissimum, perfectissimum, ideo summe unum. Quod enim per omnimodam superabundantiam dicitur dicitur respectu omnium. «Quod etiam simpliciter per superabundantiam dicitur, impossibile est, ut conveniat nisi uni soli». Unde, si Deus nominat esse primarium, aeternum, simplicissimum, actualissimum, perfectissimum, impossibile est, ipsum cogitari non esse, nec esse nisi unum solum. *Audi* igitur, *Israel, Deus tuus Deus unus est.* Si hoc vides in pura mentis simplicitate, aliqualiter perfunderis aeternae lucis illustratione.

7. Sed habes unde subleveris in admirationem. Nam ipsum esse est primum et novissimum, est aeternum [207] et praesentissimum, est simplicissimum et maximum, est actualissimum et immutabilissimum, est perfectissimum et immensum, est summe unum et tamen omnimodum. – Si haec pura mente miraris, maiore luce perfunderis, dum ulterius vides, quia ideo est novissi-

Questo essere, dunque, che è puro, semplice e assoluto, è l'essere primo, eterno, assolutamente semplice, totalmente in atto, perfettissimo, assolutamente uno.

6. E questi attributi sono così certi, che colui il quale pensa l'essere stesso non può pensare qualcosa che sia opposto ad essi, e ognuno di questi attributi implica necessariamente gli altri. Infatti, poiché è l'essere senz'altro, è l'essere puramente primo. Poiché è l'essere puramente primo, non è stato fatto da altri, né poté farsi da sé, ed è quindi eterno. Parimenti, poiché è primo ed eterno, non è composto di altri esseri, ed è dunque assolutamente semplice. Analogamente, poiché è primo, eterno e assolutamente semplice, non vi è in esso alcunché in potenza frammisto all'atto, ed è pertanto totalmente in atto. Parimenti, poiché è primo, eterno, assolutamente semplice, totalmente in atto, è perfettissimo, e a un tale essere non manca assolutamente nulla, né è possibile aggiungere nulla. In quanto è primo, eterno, assolutamente semplice, totalmente in atto, perfettissimo, è sommamente uno. Infatti, ciò che si afferma per ogni sorta di sovrabbondanza, lo si afferma rispetto a tutte. «Ciò che si afferma puramente per sovrabbondanza, è impossibile che convenga se non ad un solo essere»[131]. Per cui, se Dio è il nome dell'essere primo, eterno, assolutamente semplice, totalmente in atto, perfettissimo, è impossibile pensare che non sia o che non sia uno solo. «Ascolta», dunque, «o Israele: il tuo Dio è l'unico Dio»[132]. Se consideri tutto ciò nella pura semplicità dell'anima, vieni colmato, in qualche modo, dello splendore dell'eterna luce.

7. Ma hai motivo di essere sollevato fino all'ammirazione. Infatti, l'Essere stesso è primo e ultimo, eterno *[207]* e sempre presente, assolutamente semplice e massimo, totalmente in atto e assolutamente immutabile, perfettissimo e immenso, sommamente uno e tuttavia misura di tutte le cose[133]. Se consideri con ammirazione, nella purezza dell'animo, questi attributi, sei colmato di una luce ancora maggiore nel vedere inoltre che l'Essere stesso è ultimo,

mum, quia primum. Quia enim est primum, omnia operatur propter se ipsum; et ideo necesse est, quod sit finis
ultimus, initium et consummatio, *alpha et omega*. – Ideo
est praesentissimum, quia aeternum. Quia enim aeternum, non fluit ab alio nec deficit a se ipso nec decurrit
ab uno in aliud; ergo nec habet praeteritum nec futu-
rum, sed esse praesens tantum. – Ideo maximum, quia
simplicissimum. Quia enim simplicissimum in essentia,
ideo maximum in virtute, quia virtus, quanto plus est
unita, tanto plus est infinita. – Ideo immutabilissimum,
quia actualissimum. Quia enim actualissimum est, ideo
est actus purus; et quod tale est nihil novi acquirit, nihil
habitum perdit, ac per hoc non potest mutari. Ideo
immensum, quia perfectissimum. Quia enim perfectissimum, nihil potest cogitari ultra ipsum melius, nobilius
nec dignius, ac per hoc nihil maius; et omne tale est
immensum. – Ideo omnimodum, quia summe unum.
Quod enim summe unum est, est omnis multitudinis
universale principium; ac per hoc ipsum est universalis
omnium causa efficiens, exemplans et terminans, sicut
«causa essendi, ratio intelligendi et ordo vivendi». Est
igitur omnimodum non sicut omnium essentia, sed sicut
cunctarum essentiarum superexcellentissima et univer-
salissima et sufficientissima causa; cuius virtus, quia
summe unita in essentia, ideo summe infinitissima et
multiplicissima in efficacia.

8. Rursus revertentes dicamus: quia igitur esse purissimum et absolutum, quod est simpliciter esse, est primarium et novissimum, ideo est omnium origo et finis
consummans. – Quia aeternum et praesentissimum,
ideo omnes durationes *[208]* ambit et intrat, quasi simul
exsistens earum centrum et circumferentia. – Quia simplicissimum et maximum, ideo totum intra omnia et

proprio perché è primo. Infatti, poiché è primo, ha creato
ogni cosa avendo se stesso come fine[134]; pertanto, è necessario che sia fine ultimo, inizio e compimento, «alfa e
omega»[135]. Egli è sempre presente, perché è eterno. Infatti, poiché è eterno, non deriva da altro, né viene meno a se
stesso, né passa da uno stato ad un altro; non ha, dunque,
né passato, né futuro, ma soltanto l'essere presente. È
massimo, perché è assolutamente semplice. Infatti, poiché
è assolutamente semplice nella sua essenza, è massimo nella potenza, dato che la potenza, quanto più è unita, tanto
più è infinita[136]. È assolutamente immutabile, perché è totalmente in atto. Infatti, poiché è totalmente in atto, è atto
puro e, in quanto tale, non acquista nulla di nuovo, non
perde nulla di quello che ha e perciò non può essere soggetto ad alcun mutamento. È immenso, perché è perfettissimo. Infatti, poiché è perfettissimo, non si può pensare
nulla che sia migliore, più nobile o più degno di lui, e perciò maggiore di lui; e colui che è tale, è immenso. Egli è
misura di tutte le cose, perché è sommamente uno. Infatti,
ciò che è sommamente uno è principio universale di ogni
molteplicità, e perciò è causa universale efficiente, esemplare e finale di tutte le cose, come è «causa dell'esistere,
criterio dell'intendere e ordinamento del vivere»[137]. È,
dunque, misura di tutte le cose, non perché è l'essenza di
tutte le cose, ma perché è la causa eccellentissima, univer-
salissima e sufficientissima di tutte le essenze, e la sua potenza, in quanto sommamente unita nella sua essenza, è in
sommo grado infinita e molteplice nella sua efficacia operativa.

8. Ritornando di nuovo su quanto è stato detto, diciamo: poiché, dunque, l'Essere purissimo e assoluto, che è
l'Essere senz'altro, è primo ed ultimo, proprio per questo
è origine e fine che dà perfezione a tutte le cose. Poiché è
eterno e sempre presente, proprio per questo abbraccia e
penetra tutte le cose che durano nel tempo, *[208]* essen-
done insieme, per così dire, il centro e la circonferenza.
Poiché è assolutamente semplice e massimo, proprio per

totum extra, ac per hoc «est sphaera intelligibilis, cuius centrum est ubique et circumferentia nusquam». – Quia actualissimum et immutabilissimum, ideo «stabile manens moveri dat universa». – Quia perfectissimum et immensum, ideo est intra omnia, non inclusum, extra omnia, non exclusum, supra omnia, non elatum, infra omnia, non prostratum. – Quia vero est summe unum et omnimodum, ideo est *omnia in omnibus*, quamvis omnia sint multa, et ipsum non sit nisi unum; et hoc, quia per simplicissimam unitatem, serenissimam veritatem et sincerissimam bonitatem est in eo omnis virtuositas, omnis exemplaritas et omnis communicabilitas; ac per hoc, *ex ipso et per ipsum et in ipso sunt omnia*, et hoc, quia omnipotens, omnisciens et omnimode bonum, quod perfecte videre est esse beatum, sicut dictum est Moysi: *Ego ostendam tibi omne bonum.*

questo è totalmente in tutte le cose e tutte le trascende, e perciò «è una sfera intelligibile, il cui centro è dappertutto e la circonferenza in nessun luogo»[138]. Poiché è totalmente in atto e assolutamente immutabile, proprio per questo, «restando immutabile, fa che tutto abbia moto»[139]. Poiché è perfettissimo e immenso, proprio per questo è in tutte le cose, senza esservi incluso; trascende tutte le cose, senza esserne escluso; è al di sopra di tutte le cose, senza esserne separato; è sotto tutte le cose, senza esserne soggiogato. Poiché, inoltre, è sommamente uno e misura di tutte le cose, è, proprio per questo, «tutto in tutte le cose»[140], benché le cose siano molte ed Egli non sia se non uno; e questo perché, per la sua semplicissima unità, limpidissima verità e purissima bontà, possiede ogni potenza, è modello di tutte le cose e capacità di comunicarsi a tutti. Perciò, «tutto viene da lui, avviene grazie a lui ed è in lui»[141], e questo perché è onnipotente, onnisciente e buono sotto ogni aspetto. Nella sua perfetta visione consiste l'essere beati, come fu detto a Mosè: «Io ti mostrerò ogni bene»[142].

CAPITULUM VI

De speculatione beatissimae Trinitatis
in eius nomine, quod est bonum

1. Post considerationem essentialium elevandus est oculus intelligentiae ad contuitionem beatissimae Trinitatis, ut alter Cherub iuxta alterum statuatur. Sicut autem visionis essentialium ipsum esse est principium radicale et nomen, per quod cetera innotescunt; sic contemplationis emanationum ipsum bonum est principalissimum fundamentum.

2. Vide igitur et attende, quoniam optimum quod simpliciter est quo nihil melius cogitari potest; et hoc tale sic est, quod non potest recte cogitari non esse, quia omnino melius est esse quam non esse; sic est, quod non potest recte cogitari, quin cogitetur trinum et unum. Nam «bonum dicitur diffusivum sui»; summum igitur bonum summe diffusivum est sui. Summa autem diffusio non *[209]* potest esse, nisi sit actualis et intrinseca, substantialis et hypostatica, naturalis et voluntaria, liberalis et necessaria, indeficiens et perfecta. Nisi igitur in summo bono aeternaliter esse productio actualis et consubstantialis, et hypostasis aeque nobilis, sicut est producens per modum generationis et spirationis – ita quod sit aeternalis principii aeternaliter comprincipiantis – ita

CAPITOLO VI

Come si conosce specularmente
la beatissima Trinità nel suo nome, che è il Bene

1. Dopo aver considerato gli attributi che sono propri dell'essenza di Dio, l'occhio della nostra intelligenza deve innalzarsi alla contuizione della Trinità beatissima, perché anche il secondo Cherubino sia posto accanto al primo. Ora, come l'Essere stesso è il principio e la radice della nostra considerazione degli attributi che si riferiscono all'essenza divina e il nome per mezzo del quale si rivelano a noi tutti gli altri attributi, così il Bene stesso è il principale fondamento della nostra contemplazione delle emanazioni divine.

2. Fissa, dunque, il tuo sguardo e poni mente al fatto che l'ottimo è semplicemente ciò di cui non è possibile pensare nulla di migliore, ed è tale che non si può rettamente pensare che non esista, poiché, in senso assoluto, è meglio essere che non essere. L'ottimo, pertanto, è tale che non può essere pensato rettamente se non come uno e trino. Infatti, «si dice che il bene ha la proprietà di comunicarsi»[143]; perciò, il sommo Bene ha la proprietà di comunicarsi in sommo grado. Ma questa comunicazione non può essere somma *[209]* se non è attuale e intrinseca, sostanziale e ipostatica, naturale e volontaria, libera e necessaria, indefettibile e perfetta. Se, dunque, nel sommo Bene non ci fosse la produzione attuale e consostanziale, e l'ipostasi di uguale eccellenza, proprio come il Principio che effonde per un processo di generazione e di spirazione – in modo da essere opera di un eterno Principio che effon-

quod esset dilectus et condilectus, genitus et spiratus, hoc est Pater et Filius et Spiritus sanctus; nequaquam esset summum bonum, quia non summe se diffunderet. Nam diffusio ex tempore in creatura non est nisi centralis vel punctalis respectu immensitatis bonitatis aeternae; unde et potest aliqua diffusio cogitari maior illa, ea videlicet, in qua diffundens communicat alteri totam substantiam et naturam. Non igitur summum bonum esset, si re vel intellectu illa carere posset.

Si igitur potes mentis oculo contueri puritatem bonitatis, quae est actus purus principii caritative diligentis amore gratuito et debito et ex utroque permixto, quae est diffusio plenissima per modum naturae et voluntatis, quae est diffusio per modum Verbi, in quo omnia dicuntur, et per modum Doni, in quo cetera dona donantur; potes videre, per summam boni communicabilitatem necesse esse Trinitatem Patris et Filii et Spiritus sancti. In quibus necesse est propter summam bonitatem esse summam communicabilitatem, et ex summa communicabilitate summam consubstantialitatem, et ex summa consubstantialitate summam configurabilitatem, et ex his summam coaequalitatem, ac per hoc summam coaeternitatem, atque ex omnibus praedictis summam cointimitatem, qua unus est in altero necessario per summam circumincessionem et unus operatur cum alio per omnimodam indivisionem substantiae et virtutis et operationis ipsius beatissimae Trinitatis.

3. Sed cum haec contemplaris, vide, ne te existimes comprehendere incomprehensibilem. Habes enim adhuc

de dall'eternità il suo uguale –, così che sia insieme amato e riamato, generato e spirato, cioè Padre, Figlio e Spirito Santo, questo Principio non sarebbe mai il sommo Bene, poiché non si comunicherebbe in sommo grado. Infatti, il diffondersi, nel tempo, del Bene nelle creature non è che un centro o un punto rispetto all'immensità della bontà eterna, per cui è possibile pensare una comunicazione maggiore di questa, cioè quella in cui colui che si comunica, comunica ad un altro tutta la sua sostanza e natura. Dio non sarebbe, dunque, il sommo Bene se in realtà o rispetto al nostro modo di intendere potesse mancare di questa comunicazione totale.

Se, quindi, con l'occhio dell'anima puoi contuire la purezza del Bene – che è l'atto puro di quel Principio che, caritativamente, ama con un amore gratuito e dovuto e con un amore che è fusione di questi due amori[144]; che è comunicazione pienissima di se stesso per mezzo di un processo naturale e volontario; che è comunicazione in forma di Verbo, nel quale sono espresse tutte le cose, e in forma di Dono, nel quale sono donati tutti gli altri doni –, potrai vedere che, grazie alla sua proprietà di comunicarsi in sommo grado, è necessario che esista la Trinità, Padre, Figlio e Spirito Santo. Per la loro somma bontà, è necessario che in queste tre persone vi sia la proprietà di comunicarsi in sommo grado, e, in forza di questa proprietà di comunicarsi in sommo grado, vi sia somma consostanzialità, e, in virtù di questa somma consostanzialità, vi sia somma somiglianza. Da tutto questo deriva che deve esservi nelle tre persone somma uguaglianza, e perciò somma coeternità, e, in virtù di tutte le perfezioni predette, somma intimità reciproca, in forza della quale l'una è nell'altra necessariamente, per la loro somma circuminsessione[145], e l'una opera con l'altra grazie all'assoluta indivisibilità della sostanza, della potenza e dell'operare della stessa Trinità beatissima.

3. Ma quando contempli queste realtà, vedi di non credere di aver compreso ciò che è incomprensibile. Infatti,

in his sex conditionibus considerare quod vehementer
in stuporem admirationis inducit oculum mentis
nostrae. Nam ibi est summa communicabilitas cum personarum proprietate, summa consubstantialitas cum
hypostasum *[210]* pluralitate, summa configurabilitas
cum discreta personalitate, summa coaequalitas cum
ordine, summa coaeternitas cum emanatione, summa
cointimitas cum emissione. Quis ad tantorum mirabi-
lium aspectum non consurgat in admirationem? – Sed
haec omnia certissime intelligimus esse in beatissima
Trinitate, si levamus oculos ad superexcellentissimam
bonitatem. Si enim ibi est summa communicatio et vera
diffusio, vera est ibi origo et vera distinctio; et quia
totum communicatur, non pars, ideo ipsum datur, quod
habetur, et totum: igitur emanans et producens et distinguuntur proprietatibus, et sunt essentialiter unum. Quia
igitur distinguuntur proprietatibus, ideo habent personales proprietates et hypostasum pluralitatem et originis
emanationem et ordinem non posterioritatis, sed originis, et emissionem non localis mutationis, sed gratuitae
inspirationis, per rationem auctoritatis producentis,
quam habet mittens respectu missi. – Quia vero sunt
unum substantialiter, ideo oportet, quod sit unitas in
essentia et forma et dignitate et aeternitate et exsistentia
et incircumscriptibilitate. Dum ergo haec per se singilla-
tim consideras, habes unde veritatem contempleris; dum
haec ad invicem confers, habes unde in admirationem
altissimam suspendaris: et ideo, ut mens tua per admira-

in queste sei perfezioni hai ancora da considerare cose che
con veemenza conducono l'occhio della nostra anima allo
stupore dell'ammirazione. Nella Trinità, infatti, il comunicarsi reciproco in sommo grado è congiunto con la proprietà delle persone: la somma consostanzialità con la pluralità delle ipostasi; *[210]* la somma somiglianza con la distinzione personale; la somma uguaglianza con l'ordine
gerarchico tra esse; la somma coeternità con l'emanazione
dell'una dall'altra; la somma intimità reciproca con il pro-
cedere dell'una dall'altra. Alla vista di tanto grandi mera-
viglie, chi non si innalza fino all'ammirazione? Ma se solle-
viamo lo sguardo a quella bontà sovraeminente, comprendiamo che tutte queste perfezioni esistono in modo certissimo nella Trinità beatissima. Se, infatti, vi sono in essa
somma capacità di comunicarsi e vera proprietà di effon-
dersi, vi sono anche vera origine e vera distinzione delle
persone. E poiché si comunica il tutto e non soltanto la
parte, si dà pertanto tutto ciò che si ha; quindi, colui che
emana e colui che dona si distinguono in forza delle loro
proprietà e sono al tempo stesso, quanto all'essenza, una
sola realtà. Perciò, poiché si distinguono in forza delle loro proprietà, hanno proprietà personali e pluralità di ipostasi, traggono origine per emanazione, e vi è tra esse un
ordine, non perché l'una venga dopo l'altra nel tempo, ma
perché l'una trae origine dall'altra. Vi è altresì processione, la quale non implica alcun mutamento di luogo, ma
una gratuita spirazione dovuta all'autorità di colui che genera, e che è la stessa che ha colui che manda rispetto a
colui che è mandato. Poiché, d'altra parte, le tre persone
sono una sola realtà, quanto alla sostanza, è necessario che
in esse vi sia unità nell'essenza, nella forma, nella dignità,
nell'eternità, nell'esistenza e nell'immensità. Quando,
dunque, consideri questi attributi singolarmente, ciascuno
in se stesso, hai modo di contemplare la verità. Quando li
poni a confronto l'uno con l'altro, hai modo di essere in-
nalzato fino all'ammirazione più alta; dunque, perché la
tua anima si elevi, in virtù dell'ammirazione, alle meravi-

tionem in admirabilem ascendat contemplationem, haec
simul sunt consideranda.

4. Nam et Cherubim hoc designant, quae se mutuo
aspiciebant. Nec hoc vacat a mysterio, quod respicie-
bant *se versis vultibus in propitiatorium*, ut verificetur
illud quod dicit Dominus in Ioanne: *Haec est vita aeterna, ut cognoscant te solum verum Deum, et quem misisti
Iesum Christum*. Nam admirari debemus non solum
conditiones Dei essentiales et personales in se, verum
etiam per comparationem ad supermirabilem unionem
Dei et hominis in unitate personae Christi.

5. Si enim Cherub es essentialia Dei contemplando,
et miraris, quia simul est divinum esse primum et novissimum, aeternum et praesentissimum, simplicissimum et
maximum seu incircumscriptum, totum ubique et nunquam comprehensum, actualissimum et nunquam
motum, perfectissimum et nihil habens superfluum nec
diminutum, et tamen immensum et sine termino infinitum, summe unum, et tamen omnimodum, ut omnia in
se habens, ut omnis virtus, omnis veritas, omne bonum;
respice ad propitiatorium et mirare, quod in ipso principium primum iunctum est cum postremo, Deus cum
homine sexto die formato, aeternum iunctum est cum
homine temporali in plenitudine temporum *[211]* de
Virgine nato, simplicissimum cum summe composito,
actualissimum cum summe passo et mortuo, perfectissimum et immensum cum modico, summe unum et omnimodum cum individuo composito et a ceteris distincto,
homine scilicet Iesu Christo.

6. Si autem alter Cherub es personarum propria con-

glie della contemplazione, è necessario considerare insieme tutte queste realtà.

4. Infatti, anche i Cherubini che si guardavano l'un l'altro indicano questo modo di contemplare. E questo, cioè il fatto che si guardavano «con la faccia rivolta verso il propiziatorio»[146], ha un significato misterioso, perché si verifichi ciò che il Signore dice in Giovanni: «Questa è la vita eterna: che conoscano te, il solo vero Dio, e colui che hai mandato, Gesù Cristo»[147]. Infatti, dobbiamo considerare con ammirazione le proprietà di Dio – sia quelle che si riferiscono alla sua essenza sia quelle che si riferiscono alle persone divine – non soltanto in se stesse, ma anche in rapporto a quella stupenda meraviglia che è l'unione di Dio e dell'uomo nell'unità della persona di Cristo.

5. Tu, infatti, sei come il primo Cherubino, allorché contempli le proprietà che si riferiscono all'essenza di Dio, e ammiri con stupore come l'essere divino è insieme primo ed ultimo, eterno e sempre presente, assolutamente semplice e massimo o non circoscritto, è tutto in ogni luogo, senza essere mai contenuto, totalmente in atto e mai in divenire, perfetto in sommo grado senza avere alcunché di superfluo né di manchevole, e tuttavia immenso, infinito, senza limiti, sommamente uno eppure misura di tutte le cose, così da avere in sé tutte le perfezioni, ogni potenza, ogni verità, ogni bene. Guarda, dunque, verso il propiziatorio[148] e ammira come in esso il primo Principio sia congiunto con l'ultimo, Dio con l'uomo creato nel sesto giorno, l'Eterno sia congiunto con l'uomo temporale, nato dalla Vergine nella pienezza dei tempi, *[211]* l'Essere assolutamente semplice con quello sommamente composto, l'Essere totalmente in atto con quello che in sommo grado è stato soggetto al patire ed al morire, l'Essere perfettissimo e immenso con quello limitato, l'Essere sommamente uno e misura di tutte le cose con quell'essere singolo, composto e distinto da tutti gli altri, cioè con l'uomo Gesù Cristo.

6. Ma tu sei anche il secondo Cherubino, allorché con-

templando, et miraris, communicabilitatem esse cum proprietate, consubstantialitatem cum pluralitate, configurabilitatem cum personalitate, coaequalitatem cum ordine, coaeternitatem cum productione, cointimitatem cum emissione, quia Filius missus est a Patre, et Spiritus sanctus ab utroque, qui tamen semper est cum eis et nunquam recedit ab eis; respice in propitiatorium et mirare, quia in Christo stat personalis unio cum trinitate substantiarum et naturarum dualitate; stat omnimoda consensio cum pluralitate voluntatum, stat Dei et hominis compraedicatio cum pluralitate proprietatum, stat coadoratio cum pluralitate nobilitatum, stat coexaltatio super omnia cum pluralitate dignitatum, stat condominatio cum pluralitate potestatum.

7. In hac autem consideratione est perfectio illuminationis mentis, dum quasi in sexta die videt hominem factum ad imaginem Dei. Si enim imago est similitudo expressiva, dum mens nostra contemplatur in Christo Filio Dei, qui est imago Dei invisibilis per naturam, humanitatem nostram tam mirabiliter exaltatam, tam ineffabiliter unitam, videndo simul in unum primum et ultimum, summum et imum, circumferentiam et centrum, *alpha et omega*, causatum et causam, Creatorem et creaturam, *librum* scilicet *scriptum intus et extra*; iam pervenit ad quandam rem perfectam, ut cum Deo ad perfectionem suarum illuminationum in sexto gradu quasi in sexta die perveniat, nec aliquid iam amplius restet nisi dies requiei, in qua per mentis excessum requiescat humanae mentis perspicacitas *ab omni opere, quod patrarat.*

templi le proprietà delle persone, e ammiri con stupore come la comunicabilità coesiste con le proprietà personali, la consostanzialità con la pluralità, la perfetta somiglianza con la personalità, la perfetta uguaglianza con l'ordine, la coeternità con la generazione, l'intimità reciproca con la processione, in quanto il Figlio è mandato dal Padre, e lo Spirito Santo dal Padre e dal Figlio, pur restando sempre con loro, senza mai staccarsi da essi. Guarda, dunque, verso il propiziatorio e ammira come in Cristo l'unione personale coesista con la trinità delle sostanze e con la duplicità delle nature; la totale uniformità del volere coesista con la pluralità delle volontà; la contemporanea affermazione del nome di Dio e di uomo con la pluralità delle proprietà personali; l'uguale adorazione con la molteplicità delle prerogative; l'uguale glorificazione con la pluralità delle dignità; l'uguaglianza nella potestà con la pluralità dei poteri.

7. In questa considerazione, l'anima è perfettamente illuminata, e quasi come nel sesto giorno vede che l'uomo è stato fatto a immagine di Dio[149]. Infatti, se l'immagine è una somiglianza espressiva, quando la nostra anima contempla in Cristo, Figlio di Dio – che è per natura «l'Immagine del Dio invisibile»[150] –, la nostra umanità così mirabilmente esaltata, così ineffabilmente unita, vedendo congiunti insieme il primo e l'ultimo, il sommo e l'infimo, la circonferenza e il centro, «l'alfa e l'omega»[151], il causato e la causa, il creatore e la creatura, cioè «il libro scritto dentro e fuori»[152], essa è pervenuta ormai a un certo grado perfetto di realtà, affinché con Dio giunga, nella sesta tappa, che è quasi come il sesto giorno della creazione, alla perfezione delle sue illuminazioni, né le resta ormai qualcosa di più del giorno del riposo, nel quale, in virtù del rapimento dell'estasi, la capacità indagatrice dell'anima umana si riposa «da tutto il lavoro compiuto»[153].

CAPITULUM VII

De excessu mentali et mystico, in quo
requies datur intellectui, affectu totaliter
in Deum per excessum transeunte

1. His igitur sex considerationibus excursis tanquam sex gradibus throni veri Salomonis, quibus pervenitur ad pacem, ubi verus pacificus in mente pacifica tanquam in interiori Hierosolyma requiescit; tanquam etiam sex alis Cherub, *[212]* quibus mens veri contemplativi plena illustratione supernae sapientiae valeat sursum agi; tanquam etiam sex diebus primis, in quibus mens exercitari habet, ut tandem perveniat ad sabbatum quietis; postquam mens nostra contuita est Deum extra se per vestigia et in vestigiis, intra se per imaginem et in imagine, supra se per divinae lucis similitudinem super nos relucentem et in ipsa luce, secundum quod possibile est secundum statum viae et exercitium mentis nostrae; cum tandem in sexto gradu ad hoc pervenerit, ut speculetur in principio primo et summo et mediatore Dei et hominum, Iesu Christo, ea quorum similia in creaturis nullatenus reperiri possunt, et quae omnem perspicacitatem humani intellectus excedunt: restat, ut haec speculando transcendat et transeat non solum mundum istum sensibilem, verum etiam semetipsam; in quo transitu Christus est *via* et *ostium*, Christus est *scala* et *vehi-*

CAPITOLO VII

*Il rapimento mistico dell'anima, in cui all'intelletto
è concesso il riposo, mentre l'affetto
si riversa totalmente in Dio*

1. Le sei considerazioni trascorse sono come i sei gradini del trono del vero Salomone, per mezzo dei quali si giunge alla pace, dove colui che è veramente pacifico riposa nell'anima piena di pace, come in una Gerusalemme interiore. Esse sono anche come le sei ali del Cherubino, *[212]* in virtù delle quali l'anima del vero contemplativo, ricolma dell'illuminazione della sapienza celeste, è in grado di elevarsi verso l'alto. Esse sono, altresì, come i primi sei giorni, durante i quali l'anima deve esercitarsi per pervenire infine alla quiete del sabato[154]. La nostra anima ha avuto la contuizione di Dio fuori di sé, attraverso le sue vestigia e nelle sue vestigia; in sé, attraverso la sua immagine e nella sua immagine; sopra di sé, attraverso la similitudine della luce divina, che risplende sopra di noi, e in quella stessa luce, per quanto è possibile nella nostra condizione di pellegrini e nella misura in cui essa si esercita nella contemplazione. Quando la nostra anima è giunta infine, nella sesta tappa, a conoscere specularmente, nel Principio primo, sommo e «Mediatore tra Dio e gli uomini»[155], Gesù Cristo, realtà che non possono in alcun modo trovarsi nelle creature e che eccedono ogni capacità indagatrice dell'intelletto umano, le resta da trascendere e oltrepassare – mediante la conoscenza speculare di queste realtà – non soltanto questo mondo sensibile, ma anche se stessa. In questo passaggio, Cristo è «via e porta»[156], Cri-

culum tanquam *propitiatorium super arcam Dei colloca-tum* et *sacramentum a saeculis absconditum*.

2. Ad quod propitiatorium qui aspicit plena conversione vultus, aspiciendo eum in cruce suspensum per fidem, spem et caritatem, devotionem, admirationem, exsultationem, appretiationem, laudem et iubilationem; pascha, hoc est transitum, cum eo facit, ut per virgam crucis transeat mare rubrum, ab Aegypto intrans desertum, ubi gustet manna absconditum, et cum Christo requiescat in tumulo quasi exterius mortuus, sentiens tamen, quantum possibile est secundum statum viae, quod in cruce dictum est latroni cohaerenti Christo: *Hodie mecum eris in paradiso*.

3. Quod etiam ostensum est beato Francisco, cum in excessu contemplationis in monte excelso – ubi haec, quae scripta sunt, mente tractavi – apparuit Seraph sex alarum in cruce confixus, ut ibidem a socio eius, qui tunc cum eo fuit, ego et plures alii audivimus; ubi in Deum transiit per contemplationis excessum; et positus est in exemplum perfectae contemplationis; sicut prius fuerat actionis, tanquam alter Iacob et Israel, ut omnes viros vere spirituales Deus per eum invitaret ad huiusmodi transitum et mentis excessum magis exemplo quam verbo.

4. In hoc autem transitu, si sit perfectus, oportet quod relinquantur *[213]* omnes intellectuales operationes, et apex affectus totus transferatur et transformetur in Deum. Hoc autem est mysticum et secretissimum, quod *nemo novit, nisi qui accipit*, nec accipit nisi qui desiderat, nec desiderat nisi quem ignis Spiritus sancti medullitus inflammat, quem Christus misit in terram. Et ideo dicit Apostolus, hanc mysticam sapientiam esse per Spiritum sanctum revelatam.

sto è scala e veicolo, come «il propiziatorio posto sull'arca di Dio»[157] e «il mistero nascosto nei secoli»[158].

2. Colui che guarda questo «propiziatorio», volgendo a lui interamente lo sguardo, e con fede, speranza, carità, devozione, ammirazione, esultanza, stima, lode e giubilo lo rimira appeso in croce, fa con lui la pasqua, cioè «il transito»[159], per attraversare il Mar Rosso per mezzo della verga della croce[160] e, uscendo dall'Egitto, entrare nel deserto. Ivi gusta la manna nascosta[161] e riposa con Cristo nel sepolcro, come se fosse esteriormente morto, e tuttavia sentendo, per quanto è possibile in questa condizione di pellegrini, ciò che fu detto al ladrone unito a Cristo: «Oggi sarai con me in paradiso»[162].

3. Questo passaggio fu mostrato anche al beato Francesco, quando nel rapimento estatico della contemplazione sulla vetta del monte – dove io svolsi nel mio animo queste considerazioni che sono state scritte – gli apparve il Serafino dalle sei ali, confitto in croce, come io e molti altri abbiamo udito da un suo compagno, che era con lui in quella circostanza[163]. Qui, egli compì il passaggio a Dio, per mezzo del rapimento estatico della contemplazione, e fu posto a modello di perfetta contemplazione, come prima era stato modello di azione, come nuovo «Giacobbe e Israele»[164], perché per mezzo suo, più con l'esempio che con la parola, Dio invitasse tutti gli uomini veramente spirituali a questo passaggio e a questo rapimento estatico dell'anima.

4. In questo passaggio, però, perché esso sia perfetto, è necessario che tutte le attività intellettuali siano lasciate da parte *[213]* e che il culmine dell'affetto si porti e si trasformi interamente in Dio. Questo stato è mistico e segretissimo e «nessuno lo conosce all'infuori di chi lo riceve»[165], né lo riceve se non chi lo desidera, né lo desidera se non chi è infiammato fino nell'intimo dal fuoco dello Spirito Santo, che Cristo mandò sulla terra. E proprio per questo l'Apostolo afferma[166] che questa sapienza mistica è stata rivelata per opera dello Spirito Santo.

5. Quoniam igitur ad hoc nihil potest natura, modicum potest industria, parum est dandum inquisitioni, et multum unctioni; parum dandum est linguae, et plurimum internae laetitiae; parum dandum est verbo et scripto, et totum Dei dono, scilicet Spiritui sancto; parum aut nihil dandum est creaturae, et totum creatrici essentiae, Patri et Filio et Spiritui sancto, dicendo cum Dionysio ad Deum Trinitatem: «Trinitas superessentialis et superdeus et superoptime Christianorum inspector theosophiae, dirige nos in mysticorum eloquiorum superincognitum et superlucentem et sublimissimum verticem; ubi nova et absoluta et inconvertibilia theologiae mysteria secundum superlucentem absconduntur occulte docentis silentii caliginem in obscurissimo, quod est supermanifestissimum, supersplendentem, et in qua omne relucet, et invisibilium superbonorum splendoribus superimplentem invisibiles intellectus». Hoc ad Deum. Ad amicum autem, cui haec scribuntur, dicatur, cum eodem: «Tu autem, o amice, circa mysticas visiones, corroborato itinere, et sensus desere et intellectuales operationes et sensibilia et invisibilia et omne non ens et ens, et ad unitatem, ut possibile est, inscius restituere ipsius, qui est super omnem essentiam et scientiam. Etenim te ipso et omnibus immensurabili et absoluto purae mentis excessu, ad superessentialem divinarum tenebrarum radium, omnia deserens et ab omnibus absolutus, ascendes».

6. Si autem quaeras, quomodo haec fiant, interroga gratiam, non doctrinam; desiderium, non intellectum; gemitum orationis, non studium lectionis; sponsum, non magistrum; Deum, non hominem; caliginem, non claritatem; non lucem, sed ignem totaliter inflammantem et in Deum excessivis unctionibus et ardentissimis affectionibus transferentem. Qui *[214]* quidem ignis Deus est,

5. Per giungere a questo stato, niente può la natura e poco il darsi da fare; bisogna, quindi, concedere poco alla ricerca e moltissimo alla compunzione; poco al linguaggio esteriore e moltissimo alla letizia interiore; poco alla parola e allo scritto e tutto al dono di Dio, cioè allo Spirito Santo; poco o nulla alla creatura e tutto all'Essenza creatrice, al Padre, al Figlio e allo Spirito Santo, dicendo con Dionigi al Dio-Trinità[167]: «O Trinità, che trascendi ogni essenza, o Dio che trascendi la divinità, o supremo maestro della teologia cristiana, guidaci al vertice di ogni colloquio mistico, che supera ogni conoscenza, ogni luce, ogni altezza; dove gli estremi, assoluti e immutabili misteri della teologia si celano nella tenebra, al di là di ogni luce, di un silenzio che insegna nascostamente, in una oscurità profondissima, che trascende ogni chiarezza e ogni luce, nella quale ogni realtà risplende, e che ricolma oltre ogni misura l'invisibile intelletto con lo splendore di inimmaginabili beni invisibili». Questo si deve dire a Dio. All'amico, invece, per il quale sono scritte queste pagine, si dica con lo stesso Dionigi[168]: «Tu poi, o amico, dopo un cammino reso sicuro, riguardo alle contemplazioni mistiche comportati in questo modo: lascia da parte l'attività dei sensi e dell'intelletto, le realtà sensibili e quelle invisibili, tutto ciò che è e tutto ciò che non è, e, ignorando tutto, volgiti, per quanto ti è possibile, all'unità di colui che trascende ogni essenza ed ogni sapere. Abbandonando tutto e sciolto ormai da ogni vincolo, mentre trascendi te stesso e tutte le cose in uno slancio incommensurabile e perfetto della tua anima resa pura, ascenderai al raggio, che supera ogni essenza, della tenebra divina».

6. Se, poi, ti domandi come ciò avvenga, interroga la grazia, non la dottrina; il desiderio, non l'intelligenza; il gemito della preghiera, non lo studio e la lettura; lo sposo, non il maestro; Dio, non l'uomo; la tenebra, non la luminosità; non la luce, ma il fuoco che tutto infiamma e che trasporta in Dio con lo slancio della compunzione e l'affetto più ardente. Dio è questo fuoco *[214]* e il suo «foco-

et huius *caminus est in Ierusalem*, et Christus hunc
accendit in fervore suae ardentissimae passionis, quem
solus ille vere percipit, qui dicit: *Suspendium elegit
anima mea, et mortem ossa mea.* Quam mortem qui dili-
git videre potest Deum, quia indubitanter verum est:
Non videbit me homo et vivet. – Moriamur igitur et
ingrediamur in caliginem, imponamus silentium sollici-
tudinibus, concupiscentiis et phantasmatibus; transeamus cum Christo crucifixo *ex hoc mundo ad Patrem*, ut,
ostenso nobis Patre, dicamus cum Philippo: *Sufficit
nobis*; audiamus cum Paulo: *Sufficit tibi gratia mea*;
exsultemus cum David dicentes: *Defecit caro mea et cor
meum, Deus cordis mei et pars mea Deus in aeternum.
Benedictus Dominus in aeternum, et dicet omnis populus:
Fiat, fiat.* Amen.

lare è in Gerusalemme»[169]; Cristo accende questo fuoco nell'impeto amoroso della sua ardentissima passione, e lo prova veramente soltanto colui che dice: «L'anima mia desiderò lo strangolamento e le mie ossa la morte»[170]. Chi ama questa morte può vedere Dio, poiché è indubitabilmente vera questa affermazione: «Nessun uomo può vedermi e restar vivo»[171]. Moriamo, dunque, ed entriamo nella tenebra; imponiamo silenzio alle preoccupazioni, ai desideri, alle immagini sensibili; passiamo con Cristo crocifisso «da questo mondo al Padre»[172], affinché, quando ci sarà mostrato il Padre, diciamo con Filippo: «Ci basta»[173]; sentiamo con Paolo: «Ti basta la mia grazia»[174]; esultiamo con Davide, dicendo: «Viene meno la mia carne e il mio cuore, Dio del mio cuore, e mia porzione è Dio in eterno»[175]. «Sia benedetto il Signore in eterno e tutto il popolo dica: Così sia, così sia»[176]. Amen.

NOTE AL TESTO

Prologo

[1] Giac. 1,17.
[2] Ef. 1,17-18.
[3] Lc. 1,79.
[4] Fil. 4,7.
[5] Sal. 119,7.
[6] Sal. 121,6.
[7] Sal. 75,3.
[8] L'apparizione del Serafino alato in forma di Crocifisso, nel corso della quale san Francesco ricevette le stimmate, è narrata con ampiezza da Bonaventura nella sua presentazione della figura del Santo, la *Legenda Maior Sancti Francisci* XIII 1-3 (*Opera* cit., VIII 542-543). Cfr. anche *Legenda Minor Sancti Francisci* 1-3 (*Opera* cit., VIII 575-576).
[9] 2 Cor. 12,2.
[10] Gal. 2,19-20.
[11] Gv. 10,1.
[12] Gv. 10,9.
[13] Apoc. 22,14.
[14] Dan. 9,23.
[15] Sal. 37,9
[16] Sal. 44,8.

Capitolo I

[17] Sal. 83,6-7.
[18] Pseudo Dionigi, *De Mystica Theologia* 1,1 (PG 3,997 A-B; PL 122,1171 C-1173 A).
[19] Sal. 85,11.
[20] Cfr. Es. 3,18.

[21] Riguardo a questa triplice illuminazione, cfr. *In II Sententiarum* d. 4, a. 3, q. 2 (*Opera* cit., II 141-142).

[22] Gen. 1,3 ss. Cfr. *Breviloquium* p. 2, c. 12, n. 4 (*Opera* cit., V 230).

[23] Mc. 12,30; cfr. Mt. 22,37 e Lc. 10,27.

[24] Apoc. 1,8. Significa considerare Dio come primo Principio o come Fine ultimo di tutte le cose.

[25] Riguardo a questa distinzione, cfr. *In I Sententiarum* d. 3, p. I, q. 3 (*Opera* cit., I 74).

[26] Cfr. 1 Re (Vg: 3 Re) 10,19.

[27] Is. 6,2.

[28] Es. 24,16.

[29] Mt. 17,1-2.

[30] Su questa suddivisione delle facoltà dell'anima umana, cfr. *In II Sententiarum* d. 24, p. I, a. 2, q. 3 (*Opera* cit., II 566). Bonaventura chiama «sinderesi» l'inclinazione naturale (*naturale pondus)* della volontà al bene morale. Essa diviene operante, allorché quest'ultimo è conosciuto tramite la «coscienza», ossia tramite quel lume naturale della ragione da cui appunto apprendiamo ciò che bisogna fare e ciò che bisogna evitare, perché la nostra azione sia rettamente indirizzata al suo fine. In quanto tale, la «sinderesi» non può essere corrotta dal peccato e, anche se momentaneamente soffocata a causa di esso, continua a rimproverare il male commesso.

[31] Gen. 2,15.

[32] Vedi *Breviloquium* p. 3, c. 5 (*Opera* cit., V 234).

[33] 1 Cor. 1,30.

[34] 1 Cor. 1,24.

[35] Gv. 1,14 e 17.

[36] 1 Tim. 1,5.

[37] Sal. 83,8.

[38] Cfr. Gen. 28,12.

[39] Gv. 13,1.

[40] Eccli. (Sir.) 24,18.

[41] Sap. 13,5.

[42] Cfr. Sap. 11,20.

[43] Ebr. 11,3. Nelle righe successive Bonaventura allude rispettivamente alla legge naturale, impressa da Dio nel cuore dell'uomo; alla legge scritta, data da Dio all'umanità per mezzo di Mosè; alla legge di grazia, offerta da Cristo all'uomo attraverso la redenzione.

[44] Vedi *Breviloquium* p. 2, cc. 1-2 (*Opera* cit., V 219-220).

[45] La dottrina delle ragioni seminali – di origine stoica, ma presente anche in Plotino ed elaborata nel mondo cristiano soprattutto da Agostino – è fatta propria da Bonaventura al fine di risolvere il problema della efficacia operativa delle cause seconde, così da non annullarne del tutto l'attività, senza peraltro accentuarla troppo a scapito dell'attività divina. Essa consente, infatti, di spiegare il manifestarsi di forme nuove nell'universo grazie all'azione di semi – le ragioni seminali appunto, viste come inizio di forma (*inchoatio formae*) – inseriti da Dio nella materia all'atto della creazione e destinati a svilupparsi nel corso del tempo. Negando in tal modo una vera "autonomia" al creato, Bonaventura intende sottolineare che ciò che di nuovo si manifesta nella realtà è solo in apparenza nuovo, nel senso che esso è già presente, sebbene «invisibiliter, potentialiter» – come aveva affermato Agostino –, nella materia. La sua comparsa non implica, perciò, alcun mutamento sul piano delle essenze (dato che queste ultime sono state create da Dio fin dal principio, anche se non tutte dotate dello stesso livello di attualità esistenziale), ma solo su quello dell'esistenza, da un modo di essere incompleto e potenziale ad uno completo e attuale.

[46] Agostino, *De civitate Dei* VIII 4 (PL 41,228).

[47] Sap. 5,21.

[48] Sal. 91,5.

[49] Sal. 103,24.

Capitolo II

[50] Cfr. *Breviloquium* p. 2, cc. 3-4, (*Opera* cit., V 220-222), dove Bonaventura espone con maggiore ampiezza le linee fondamentali della propria cosmologia, qui solo sommariamente ricordate. Dell'universo (macrocosmo) fanno parte: a) una natura celeste, divisa in tre cieli (l'empireo, il cristallino, e il firmamento, nel quale sono contenute le orbite dei sette pianeti: Saturno, Giove, Marte, Sole, Venere, Mercurio, Luna); b) una natura elementare, comprendente a sua volta quattro elementi (fuoco, aria, acqua, terra), dotati di quattro proprietà

contrarie (caldo, freddo, umido, secco). Sia i corpi celesti sia
gli elementi sono corpi semplici; dal loro multiforme concorso
si generano le realtà composte. Quanto alla luce, che «concilia
i contrari nei corpi misti», può essere avvicinata alla moderna
nozione di energia. Essa è, infatti, la forma sostanziale comune a tutti i corpi, capace di predisporli a ricevere le forme successive (e, quindi, le perfezioni ulteriori che esse apportano)
e, al tempo stesso, costituisce appunto la sorgente di attività
dalla quale ogni forma successiva attinge la sua capacità operativa particolare. Con la dottrina della pluralità delle forme
sostanziali, qui implicitamente suggerita, e sostenuta da quasi
tutti gli autori del secolo XIII, Bonaventura si oppone direttamente a Tommaso d'Aquino, esplicito e deciso fautore
(sulla scia di Aristotele) della tesi della unicità della forma
sostanziale.

[51] Ebr. 1,14.

[52] Si tratta del freddo, del caldo, dell'umido e del secco.

[53] Bonaventura si riferisce a quelle qualità che non sono
percepite da un solo senso, ma dalla comune e simultanea
attività di più sensi.

[54] Cfr. Aristotele, *Fisica* VII 1,1,241b 24. Mi servo della
traduzione di A. Masnovo, *Introduzione alla Somma Teologica
di San Tommaso*, Brescia 1945, p. 51, che si adatta con particolare efficacia a tutto il contesto.

[55] Si tratta dei corpi semplici, di quelli composti e delle
sostanze spirituali.

[56] Agostino, *De musica* VI 13,38 (PL 32,1184).

[57] Agostino *De civitate Dei* XXII 19,2 (PL 41,781).

[58] Col. 1,15.

[59] Ebr. 1,3.

[60] Vedi *Breviloquium* p. 1, c. 3, n. 8 (*Opera* cit., V 212).

[61] Guglielmo di Auxerre, *Summa aurea* II, tr. II, c. 2, cfr. tr.
V, c. 3; tr. XII, c. 7, q. 1, Grottaferrata 1982, I-II, pp.
38,106,427. La citazione, peraltro, viene a Guglielmo da
Avicenna, di cui lo stesso Guglielmo doveva conoscere una
traduzione latina. Cfr. Avicenna Latinus, *Liber de Philosophia
prima sive Scientia divina* VIII, c. 7, ed. S. Van Riet, Louvain
1980, pp. 67-68.

[62] Agostino, *De libero arbitrio* II 12,34 (PL 32,1259) e *De
vera religione* 31,58 (PL 34,148).

[63] Agostino, *De vera religione* 40,74-76 (PL 34,155-156).

[64] Agostino, *De musica* VI (PL 32,1161-1194). È possibile stabilire, in Agostino, quattro significati del termine *numerus*, che si ampliano progressivamente, abbracciando realtà di perfezione ascendente. *Numerus* designa così, innanzi tutto, il numero matematico; poi il ritmo, sia musicale sia poetico; poi l'armonia tra i diversi generi di movimento nel mondo e, nell'uomo, tra le diverse attività sensibili, intellettuali e morali; infine, in Dio, la pienezza dell'unità che contiene virtualmente sia le leggi matematiche sia la bellezza dei ritmi sia tutte le armonie del mondo e dell'uomo. Cfr. *Oeuvres de Saint Augustin, De musica libri sex*, Bruges 1947, t. 7, Notes complémentaires, pp. 513-515.

[65] Boezio, *De institutione arithmetica* I 2 (PL 63,1083 B).

[66] Proprio perché, come l'*Itinerarium* ripete con insistenza, tutto il creato è in grado di rinviare a Dio, rispecchiandone le perfezioni, Bonaventura può parlare di «contuizione», ossia di conoscenza mediata di Dio, essere infinito, *nelle* e *attraverso* le realtà finite. Si tratta di quell'atto conoscitivo, proprio dell'uomo, in virtù del quale egli intuisce assieme il sensibile e il segno divino che vi è impresso, l'impronta divina che trascende la cosa esperita, ma di cui la cosa stessa è testimonianza.

[67] Rom. 1,20.

[68] Come apparirà chiaro qualche riga più avanti, qui Bonaventura intende alludere ai sacramenti, sulla cui natura di segni sensibili, attraverso i quali viene comunicata all'uomo la grazia divina, egli si sofferma ampiamente in *Breviloquium* p. 6, cc. 1-3, (*Opera* cit., V 265-268).

[69] Rom. 1,20.

[70] *Ivi.*

[71] 1 Cor. 15,57.

[72] 1 Piet. 2,9.

Capitolo III

[73] Il Tabernacolo (cfr. Es. 26) era il santuario smontabile e portatile costruito da Mosè, per ordine divino, per il culto del popolo di Israele, durante il periodo della peregrinazione nel

deserto. Consisteva in un vasto recinto, all'interno del quale vi era una tenda con teli preziosi, che costituiva il Tabernacolo propriamente detto, divisa in due parti da un velo: la prima parte era detta Santo, la seconda Santo dei Santi. Ivi si trovava l'arca dell'Alleanza contenente le tavole della Legge.

[74] Cfr. *Breviloquium* p. 2, c. 12, n. 5 (*Opera* cit., V 230) in cui Bonaventura espone la dottrina (tratta da Ugo di San Vittore, *De sacramentis christianae fidei* I, 10,2; PL 176,329 C) del triplice occhio (*oculus carnis, oculus rationis, oculus contemplationis*) di cui l'uomo è dotato: «l'uomo ricevette tre occhi [...]. L'occhio del corpo, col quale vedesse il mondo e ciò che è nel mondo; l'occhio della ragione, col quale vedesse l'animo e ciò che è nell'animo; l'occhio della contemplazione, col quale vedesse Dio e ciò che è in Dio. E così, con l'occhio del corpo l'uomo vedesse ciò che è esterno a lui, con l'occhio della ragione ciò che è in lui, e con l'occhio della contemplazione ciò che è sopra di lui».

[75] 1 Cor. 13,12.

[76] Cfr. Aristotele, *Analitici Secondi* I 10,76b 24-27.

[77] Agostino, *De Trinitate* XIV 8,11 (PL 42,1044). Pur ribadendo la forza ritentiva della memoria, vista appunto come ricettacolo delle conoscenze, Bonaventura sottolinea altresì, sulla scia di Agostino, il suo essere «presente a se stessa», ovvero il suo denotare la continuità dell'io, la capacità che gli è propria di permanere, sottraendosi al flusso inarrestabile del divenire.

[78] Il termine *mens* designa, in questo caso, non tanto l'anima nel suo complesso, quanto piuttosto la facoltà intellettiva dell'uomo.

[79] Gv. 1,9.

[80] Gv. 1,1.

[81] È appunto questo il rapporto necessario che l'intelletto afferra nella deduzione, cioè quello che intercorre tra il modello eterno, secondo il quale Dio ha creato, e le realtà prodotte, che in vario modo lo rispecchiano.

[82] Cfr. Agostino, *De vera religione* 39,72 (PL 34,154).

[83] Come Bonaventura ha già ricordato nel prologo dell'*Itinerarium* (cfr. prol. 1), Dio è la sorgente di ogni luce; ora, se tutti gli esseri creati riflettono, benché in misura diversa, questa luce, l'anima umana, «che è immagine di Dio,

immortale, spirituale ed in noi» (I 2), ne è, per così dire, la depositaria e la riflette perciò, nelle operazioni delle sue facoltà, con forza e intensità particolari. Lo si è visto a proposito della memoria; lo si vedrà nel paragrafo successivo riguardo alla volontà. Qui, con un sintetico riferimento alla dottrina della illuminazione, è sottolineata la presenza della luce divina nell'attività dell'intelletto umano. Bonaventura ritiene che quest'ultimo è in grado di giudicare con piena certezza solo perché ad esso sono presenti, anche se non in modo chiaro e distinto, le *rationes aeternae*. Costitutiva dell'atto conoscitivo umano, in quanto la condizione di immagine non può mai essere separata dallo spirito razionale, questa presenza è garanzia dell'attingimento della verità da parte della creatura, e ne testimonia perciò la dignità e l'apertura all'infinito.

[84] Cfr. Agostino, *De Trinitate* VIII 3,4 (PL 42,949).

[85] Col termine filosofia viene qui indicato il complesso delle diverse discipline elaborate dall'uomo. Facendo propria la classificazione ternaria, detta platonico-stoica ma diffusa nel mondo cristiano da Agostino (cfr. *De civitate Dei* XI 25; PL 41,338-339), Bonaventura suddivide le scienze in tre gruppi (*philosophia rationalis, naturalis, moralis*) corrispondenti alla suddivisione della verità (*veritas sermonum, rerum, morum*). Questa suddivisione ternaria del sapere filosofico è prevalente nell'opera di Bonaventura: cfr. *De reductione artium ad theologiam* (*Opera* cit., V 319-325); *De septem donis Spiritus Sancti* coll. 4,5-12 (*ivi*, V 474-476); e, con alcune modifiche e integrazioni, *In Hexaëmeron* coll. 1,11-37 (*ivi*, V 331-335); coll. 4,2-3 (*ivi*, V 349); coll. 5 (*ivi*, V 353-359). In alcuni scritti bonaventuriani del periodo universitario si incontra altresì una partizione binaria della filosofia (*philosophia theorica, philosophia practica*) di chiara ascendenza aristotelica (cfr. *In Ecclesiasten* 1; *Opera* cit., VI 17; *Breviloquium* prol. 1; *ivi*, V 203).

[86] Tutte le scienze riconducono dunque alla verità trinitaria. Anche nel *De reductione artium ad theologiam* (scritto probabilmente tra il 1255 e il 1257) Bonaventura sottolinea come ogni forma di sapere, in quanto trae origine da una sola luce, ossia da Dio, sia ordinata alla conoscenza di una sola luce, quella della Scrittura, e in particolare a quanto in essa viene insegnato riguardo alla generazione e alla incarnazione

del Verbo, alla regola di vita necessaria alla salvezza, alla unione di Dio e dell'anima.
[87] Sal. 75,5-6.

Capitolo IV

[88] Cfr. capitolo precedente.
[89] Sal. 40,9.
[90] Sal. 36,4.
[91] Gv. 10,9.
[92] Gen. 2,9.
[93] A proposito dell'azione esercitata nell'anima dalle tre virtù teologali, cfr. *Breviloquium* p. 5, c. 4 (*Opera* cit., V 256-257).
[94] Gal. 4,26.
[95] Cfr. *Breviloquium* p. 4, c. 1, n. 4 (*Opera* cit., V 241-242).
[96] Gv. 14,6.
[97] Riguardo a questa nuova sensibilità di cui l'anima viene dotata ad opera della grazia, e che Bonaventura denomina con gli stessi termini di cui si serve a proposito della sensibilità naturale, cfr. *De reductione artium ad theologiam* 9-10 (V 322).
[98] Apoc. 2,17.
[99] Cant. 3,6.
[100] Cfr. Cant. 6,9.
[101] Cant. 8,5.
[102] Apoc. 21,2: «Ed io Giovanni vidi la città santa, la nuova Gerusalemme, che scendeva dal cielo, da presso Dio».
[103] Bernardo di Clairvaux, *De consideratione* V 5,12 (PL 182,795 C). Eugenio III, papa dal 1145 al 1153, fece professione religiosa a Clairvaux sotto la guida di san Bernardo, che gli dedicò il *De consideratione*, opera concernente i doveri del pontefice.
[104] 1 Cor. 15,28.
[105] 1 Tim. 1,5.
[106] Rom. 13,10.
[107] Cfr. Mt. 22,40.
[108] Apoc. 1,8.
[109] Cfr. *Itinerarium* I 12; *Breviloquium* prol. 2 (*Opera* cit., V 203-204).

[110] Cfr. *Breviloquium* prol. 1 (*Opera* cit., V 201-202).

[111] Quanto Bonaventura afferma qui trova spiegazione nella dottrina dei quattro sensi della Scrittura, tesi caratteristica dell'esegesi biblica di tutta l'età medioevale e che egli svolge con ampiezza in *Breviloquium*, prol. 4 (*Opera* cit., V 205-206). La Scrittura può essere spiegata, oltre che secondo il senso letterale, secondo altri tre sensi spirituali: l'allegorico, il morale, l'anagogico. Si ha l'allegoria, quando per mezzo di una realtà se ne indica un'altra, in base alla quale va orientata la nostra fede; si parla di senso tropologico o morale, quando, attraverso un'azione che è stata compiuta, ci viene fatto comprendere quali altre azioni dobbiamo compiere; il significato anagogico, infine, è quello che ci orienta verso l'alto, ossia quello che, applicato ad un passo scritturistico, ci fa capire ciò che dobbiamo desiderare, cioè l'eterna felicità. Come il mondo creato, quindi, la Scrittura è una realtà complessa e profonda, proprio perché, al pari di esso, riflette l'inesauribile ricchezza di Dio, che è all'origine di entrambi. Infatti, come ogni creatura non esaurisce la propria realtà sul piano della pura fisicità (*res*), ma racchiude livelli ulteriori, che concernono il suo significato ultimo e permettono di qualificarla come *vestigium*, così la Scrittura non esaurisce il proprio significato sul piano della narrazione letterale, ma nasconde, per così dire, sotto l'involucro costituito da quest'ultima livelli più profondi di comprensione, quelli accessibili appunto tramite i tre sensi spirituali.

[112] Sal. 109,3.

[113] Sal. 4,9.

[114] Cfr. Cant. 2,7.

[115] Cfr. Is. 6,2. Bonaventura allude alle due ali che il Serafino, apparso a san Francesco, portava aperte al volo a metà del corpo.

[116] Gal. 3,19.

[117] Rom. 5,5.

[118] 1 Cor. 2,11.

[119] Ef. 3,17-18.

Capitolo V

[120] Cfr. Sal. 4,7.

[121] Agostino, *De diversis quaestionibus 83* q. 51,2 (PL 40,33).

[122] Cfr. Es. 25,10-22; 26,33-35. Il *propiziatorio* era la lamina d'oro che ricopriva la parte superiore dell'arca dell'Alleanza e su cui poggiavano i Cherubini; era considerato il luogo della manifestazione di Dio e della sua presenza particolarissima in mezzo al popolo d'Israele.

[123] Es. 3,14.

[124] *Ivi.*

[125] Mt. 28,19.

[126] Lc. 18,19.

[127] Giovanni Damasceno, *De fide orthodoxa* I 9 (PG 94,835 A-B); versione di Burgundio, ed. E. Buytaert, Louvain-Paderborn 1955, pp. 48-49.

[128] Pseudo Dionigi, *De divinis nominibus* 4,1 (PG 3,694 B; PL 122,1128 D).

[129] Cfr. *In I Sententiarum* d. 8, p. I, a. 1, q. 2 (*Opera* cit., I 155).

[130] Cfr. Aristotele, *Metafisica* II 1,993b 9-11. La citazione aristotelica serve a Bonaventura per ribadire un aspetto assai importante del suo pensiero: come l'intelletto non si accorge – se non tramite la mediazione delle realtà fenomeniche – di possedere già la nozione dell'essere che gli consente di formulare ogni altra nozione, così la mente umana diviene consapevole di essere illuminata dalla luce divina (condizione di ogni altra conoscenza) solo tramite il proprio atto conoscitivo. Va però osservato (cfr. A. Ghisalberti, «*Ego sum qui sum*»: *la tradizione platonico-agostiniana in San Bonaventura*, in «Doctor Seraphicus», 40-41 (1993-1994), pp. 17-33) che l'affermazione bonaventuriana, secondo cui l'essere è ciò che l'intelletto «prius videt et sine quo nihil potest cognoscere», non equivale all'intuizione filosofica dell'essere. Non soltanto infatti, come si è visto, l'analisi condotta da Bonaventura sulla nozione di *esse ipsum* prende le mosse dalla rivelazione del nome di Dio, ma egli stesso ha avvertito, all'inizio del capitolo V, che la contemplazione di Dio nelle realtà superiori a noi può avvenire solo «per mezzo di quella luce che è impressa nella nostra anima e che è la luce della Verità eterna».

[131] Aristotele, *Topici* V 5,134b 23-24.

[132] Deut. 6,4.

[133] Rendo con *misura di tutte le cose* il latino *omnimodus*, che Bonaventura definisce, qualche riga più avanti, come «omnis multitudinis universale principium», sì che il termine *misura* denota lo stato che, per così dire, precede la molteplicità creata.

[134] Cfr. Prov. 16,4.

[135] Apoc. 1,8. L'analisi dei caratteri dell'*esse ipsum* viene completata da Bonaventura con un esplicito riferimento alla sua causalità efficiente (di cui egli dirà, nelle righe finali del paragrafo, che è «infinitissima et multiplicissima in efficacia») e a quella finale. Anche al fine di evitare la possibilità di una interpretazione monistica del proprio pensiero, Bonaventura ribadisce che l'*esse ipsum* è il Dio cristiano creatore e fine ultimo dell'uomo, «alfa e omega» appunto. Va sottolineata, comunque, la chiara ispirazione platonica e neoplatonica della dottrina esposta da Bonaventura in questo capitolo, benché essa sia da lui presentata in termini aristotelici e come del tutto conciliabile col pensiero di Aristotele. Cfr. al riguardo le osservazioni di E. Berti, *Aristotelismo e antiaristotelismo in Bonaventura, Itin. 5*, in «Doctor Seraphicus», 40-41 (1993-1994), pp. 7-16.

[136] Cfr. *Liber de Causis*, prop. 17, ed. A. Pattin, Louvain 1966, p. 83.

[137] Agostino, *De civitate Dei* VIII 4 (PL 41,228).

[138] Alano di Lilla, *Regulae theologicae* 7 (PL 210,627 A-B).

[139] Boezio, *De consolatione philosophiae* III metro 9 (PL 63,759 A; trad. it. di A. Ribet, Milano 1979, p. 218).

[140] 1 Cor. 15,28.

[141] Rom. 11,36.

[142] Es. 33,19.

Capitolo VI

[143] Cfr. Pseudo Dionigi, *De caelesti hierarchia* 4,1; *De divinis nominibus* 4,1 e 20 (PG 3,178 C, 694 B, 719 A; PL 122,1046 B, 1128 D, 1139 C). La capacità diffusiva del bene, che è all'origine del rapporto tra Dio e il creato, è prima ancora alla base della vita intima di Dio. Già nelle *Quaestiones de mysterio Trinitatis* (cfr. q. 8, ad 7; in *Opera* cit., V 115), Bonaventura aveva affermato che la «plenitudo fontalis» del Padre, espressione della sua «primitas», è all'origine delle persone del Figlio e dello Spirito Santo e, appunto attraverso loro, di tutta la realtà: «il Padre infatti produce il Figlio e, attraverso il Figlio e con il Figlio, produce lo Spirito Santo; perciò Dio Padre, attraverso il Figlio con lo Spirito Santo, è principio di tutte le cose create; se infatti non li producesse dall'eternità, non potrebbe, attraverso loro, produrre nel tempo». Analoghe considerazioni compaiono anche nel *Breviloquium* (composto intorno al 1257), nel quale Bonaventura richiama la «innascibilitas» del Padre a spiegazione della Trinità e quindi, implicitamente, del dinamismo divino nei confronti della realtà nella creazione e nella redenzione (cfr. *Breviloquium* p. 1, c. 2, n. 2; p. 1, c. 3, n. 7 in *Opera* cit., V 210-211; 212). Va osservato che il ricorso al lessico dionisiano non esclude la presenza, nell'*Itinerarium* come in altri scritti bonaventuriani, di una teologia trinitaria assai diversa da quella di Dionigi. In quest'ultimo, infatti, la pluralità delle persone riguarda soltanto Dio in se stesso e non in rapporto agli esseri che ne discendono. Al contrario, per Bonaventura l'essere trino di Dio costituisce, come si è detto, il fondamento stesso della creazione; anzi proprio le opere extratrinitarie, pur comuni a tutte le persone divine, ne ribadiscono la distinzione, esprimendo la posizione di ogni persona nei riguardi della realtà creata (cfr. *Breviloquium* p. 1, c. 5, in *Opera* cit., V 213-214).

[144] Cfr. Riccardo di San Vittore, *De Trinitate* V 16 (PL 196,961 C-D).

[145] Il termine *circuminsessione* indica la mutua immanenza delle tre persone divine, per la quale ciascuna risiede nelle altre due in forza dell'unica essenza, pur continuando ad essere distinta dalle altre.

[146] Es. 25,20.

[147] Gv. 17,3.

[148] Cioè verso Cristo, che rende Dio propizio nei confronti degli uomini. In Cristo, le perfezioni del sommo Bene si uniscono alla limitatezza della natura umana e, per questo motivo, in lui, Dio si dona totalmente alla creatura. Oltre ad essere mediatore tra le persone divine, rapportando, in quanto Verbo, il Padre allo Spirito Santo, Cristo è dunque mediatore tra Dio e l'uomo, unendo in sé, nell'incarnazione, la natura divina e quella umana e rendendo visibile, in essa, l'invisibile mistero del Dio uno e trino. Cristo è, infine, mediatore tra l'uomo e Dio, conducendo tramite sé l'uomo al Padre nello Spirito Santo. Ma Cristo non è soltanto il «centro» della vita trinitaria e il *medium* nel disegno salvifico divino. In quanto Verbo del Padre, in cui quest'ultimo ha espresso tutte le cose, Bonaventura può vedere in lui, in pieno accordo con Agostino (*De Trinitate* VI 10,11; PL 42,931), l'*ars* piena di tutti i principi immutabili degli esseri viventi (cfr. *De scientia Christi*, q. 2, f. 2; in *Opera* cit., V 6-7) e porlo quindi al centro della propria prospettiva esemplaristica. Le idee divine però non si limitano a orientare dal punto di vista conoscitivo la mente umana; come Bonaventura preciserà definitivamente nelle *Collationes in Hexaëmeron* (cfr. coll. 1, 10-17 in *Opera* cit., V 330-332), esse definiscono metafisicamente il rapporto che lega Dio e il creato (e proprio per questo, solo chi le fa oggetto di studio è autenticamente metafisico), sicché a ragione si deve parlare di Cristo come della nostra metafisica.

[149] Cfr. Gen. 1,26.

[150] Col. 1,15.

[151] Apoc. 1,8.

[152] Apoc. 5,1; Ez. 2,9. Come Bonaventura aveva già precisato nel *Breviloquium* (*Breviloquium* p. 2, c. 11, n. 2, in *Opera* cit., V 229), il libro scritto «dentro» è l'eterna arte e sapienza di Dio, che contiene in sé le *rationes* di tutte le cose; il libro scritto «fuori» è il mondo sensibile, opera di Dio. Cristo è detto «libro scritto dentro e fuori» proprio perché nella sua persona si trovano unite l'eterna sapienza e la sua opera, ossia la natura umana, sintesi e fine dell'intero universo (cfr. *Breviloquium* p. 2, c. 4, nn. 3 e 5, in *Opera* cit., V 221-222).

[153] Gen. 2,2.

Capitolo VII

[154] Cfr. *supra*, I 5.

[155] 1 Tim. 2,5.

[156] Gv. 14,6; 10,7.

[157] Es. 25,20.

[158] Ef. 3,9.

[159] Es. 12,11.

[160] Cfr. Es. 14,16. Bonaventura intende dire che nel passaggio del popolo ebraico dalla schiavitù in Egitto alla terra promessa attraverso il Mar Rosso, divenuto via di salvezza al cenno della verga di Mosè, è adombrato il passaggio del popolo cristiano dalla schiavitù del peccato alla libertà della vita di grazia attraverso la croce, via della salvezza definitiva portata da Cristo.

[161] Cfr. Apoc. 2,17.

[162] Lc. 23,43.

[163] Cfr. *Legenda Maior Sancti Francisci* XIII 3 (*Opera* cit., VIII 543) e *Legenda Minor Sancti Francisci* 6,1-4 (*Opera* cit., VIII 575-576).

[164] Cfr. Gen. 35,10.

[165] Apoc. 2,17.

[166] Cfr. 1 Cor. 2,10.

[167] Pseudo Dionigi, *De Mystica Theologia* 1,1 (PG 3,997 A-B; PL 122 1171 C - 1173 A).

[168] *Ivi* 1, 1 (PG 3,997 B; PL 122,1173 A).

[169] Is. 31,9.

[170] Giob. 7,15.

[171] Es. 33,20.

[172] Gv. 13,1.

[173] Gv. 14,8.

[174] 2 Cor. 12,9.

[175] Sal. 72,26.

[176] Sal. 105,48.

PAROLE CHIAVE

Amore È uno dei concetti di cui si sostanzia la riflessione bonaventuriana e che è alla base delle tesi dell'*Itinerarium*. È infatti l'amore a motivare la donazione che Dio fa di se stesso nella Trinità e, in Cristo, all'uomo e all'intero creato. Ed è l'amore per Cristo crocifisso, come dimostra in modo paradigmatico l'esempio di Francesco d'Assisi (cfr. *Itin.*, prol. 3), a motivare, nell'uomo, il moto di ritorno a Dio.

Anima È, per così dire, il centro dell'essere dell'uomo, ove risiedono tutte le sue capacità spirituali. Nell'*Itinerarium*, in particolare, Bonaventura distingue tra l'anima dei bruti, inseparabilmente congiunta al loro corpo, e quella umana, razionale, congiunta al corpo in modo da potersene separare (cfr. *Itin.*, II 2) e nella cui parte superiore (o *mens*) risplende propriamente l'immagine della Trinità. Vedi la voce IMMAGINE.

Bene Secondo Bonaventura, è, insieme a Essere, uno dei nomi di Dio, rivelato anch'esso da un testo scritturistico, quello del Vangelo di Luca: «Nessuno è buono se non Dio solo», e fatto proprio in particolare da Dionigi Areopagita. La considerazione di questo nome consente di comprendere una delle proprietà della natura divina, quella appunto di donarsi. Sviluppando le tesi dionisiane sulla capacità diffusiva propria del Bene, Bonaventura afferma infatti che Dio, Bene sommo, non può che comunicarsi in sommo grado, non solo donando se stesso nel creare, ma anche, e in modo più elevato, donando se stesso totalmente nella Trinità, nel perfetto, consostanziale e coeterno rapporto di amore tra le tre persone divine.

Conoscenza Nell'*Itinerarium* Bonaventura considera vari tipi e gradi di conoscenza: la conoscenza di Dio attraverso le sue orme nell'universo (*Itin.*, I); la conoscenza di Dio per mezzo della sua immagine impressa nelle facoltà dell'anima (III 1-5), e alla quale sono di aiuto i lumi delle scienze (III 6-7); la conoscenza di Dio nell'immagine rinnovata dai doni della grazia (IV 1-4) e che trova il proprio principale aiuto nella Scrittura (IV 5-8); la conoscenza dell'unità di Dio per mezzo del suo primo nome che è Essere (V) e della santissima Trinità nel suo nome, che è Bene (VI).

Contemplazione È, su questa terra, il vertice dell'itinerario dell'uomo a Dio (*Itin.*, I 5). L'uomo è stato creato capace di pervenirvi (I 7) attraverso la preghiera, la meditazione e la santità di vita, che alimentano il desiderio di essa.

Contuizione È quel particolare atto conoscitivo, proprio dell'uomo, in virtù del quale egli intuisce insieme due distinte realtà, quella sensibile e in pari tempo il segno divino impresso in essa e che trascende la cosa esperita, ma di cui la cosa stessa è testimonianza. In questo senso Bonaventura parla di contuizione di Dio (cfr. *Itin.*, II 11), ossia di percezione dell'Essere infinito *attraverso* l'essere finito e *nell'*essere finito. Vedi anche la voce MEDITAZIONE.

Cristo È la figura centrale nella riflessione bonaventuriana e in particolare nell'opera che qui presentiamo. Come Verbo increato è infatti *medium* del Dio-Trinità e *ars Patris*, ossia modello attraverso cui tutto è stato creato. Come Verbo incarnato è mediatore tra Dio e l'uomo e redentore di quest'ultimo. Come Verbo ispirato infonde in ogni anima la grazia che salva e la conoscenza che illumina circa la verità. In Lui il divino e l'umano appaiono mirabilmente uniti; proprio per questo l'*Itinerarium* si apre e si chiude ricordando la sua funzione di via e scala per ascendere al Padre e la sua presenza nella vita di Francesco d'Assisi che, appunto attraverso l'amore ardentissimo per il Cristo, raggiunse l'estasi contemplativa.

Desiderio Riprendendo e sviluppando suggestioni caratteristiche della teologia monastica, Bonaventura vede nel desiderare il tratto tipico della condizione umana sulla terra; consapevole della propria indigenza, l'uomo aspira infatti a superarla nella direzione di Colui che, per mezzo di essa, lo attira a Sé. In tal senso il desiderio costituisce la risposta dell'uomo alla chiamata che gli proviene dall'amore di Dio e in esso si esprime in modo paradigmatico la dimensione escatologica che è propria dell'antropologia bonaventuriana.

Diletto È uno dei canali, per così dire, attraverso cui il mondo fenomenico penetra nell'anima umana. Si prova diletto, infatti, quando la realtà appresa dai sensi appare conveniente, ossia quando essa è conosciuta come bella, o come salutare, o come gradevole.

Essere Nell'*Itinerarium* è uno dei concetti filosofici di cui Bonaventura si serve per denominare Dio, basandosi sia su influssi del pensiero greco (platonico e aristotelico), sia soprattutto sul testo biblico dell'Esodo, nel quale Dio stesso dice a Mosè: «Io sono Colui che è». Essere, quindi, non è solo il primo nome di Dio, ma anche ciò che l'intelletto umano intende anteriormente a ogni altra realtà, in quanto esso può conoscere un essere qualsiasi, e conoscerlo come imperfetto, limitato ecc., solo a condizione di possedere previamente la nozione dell'Essere perfetto e infinito. È di questa nozione che Bonaventura fa uso per provare l'esistenza di Dio. Infatti, dell'Essere sommamente perfetto, proprio perché tale, non si può pensare nulla di maggiore; esso esclude perciò totalmente il non essere e non può quindi essere pensato se non come esistente.

Filosofia Nell'*Itinerarium* è divisa in tre parti – naturale, razionale, morale – che trattano rispettivamente della causa dell'esistere, del criterio del conoscere, dell'ordinamento del vivere. Pur restandone distinta, la filosofia si connette con la teologia, in quanto le sue tre parti, rinviando rispettivamente alla potenza del Padre, alla sapienza del Verbo e alla bontà dello Spirito Santo, esprimono in una certa misura il mistero trinitario (cfr. *Itin.*, III 6).

Francesco d'Assisi Espressamente ispirato dalla particolare esperienza spirituale vissuta da Francesco sulla Verna e culminata nel dono delle stimmate, segno della sua perfetta conformità a Cristo, l'*Itinerarium* si sforza di sottolineare quest'ultimo punto con ricchezza di riferimenti. Esso si apre e si chiude, oltre che nel nome di Cristo, nel ricordo di Francesco; evidenzia lo speciale rapporto di entrambi con la vera pace, annunciata e data al mondo da Cristo e predicata da Francesco (cfr. *Itin.*, prol. 1); suggerisce infine una sorta di parallelismo tra Cristo, mediatore tra Dio e gli uomini, e Francesco, modello di azione e di perfetta contemplazione, e quindi, per così dire, mediatore posto da Dio per invitare l'uomo, più con l'esempio che con le parole, a disporsi alle più alte esperienze spirituali.

Giudizio È l'operazione propria dell'intelletto e ha luogo quando l'immagine sensibile dell'oggetto, appreso come gradevole e conveniente e quindi capace di procurare diletto, è fatta propria, mediante il processo astrat-

tivo, appunto dall'intelletto, che individua la ragione di
questa convenienza nell'immutabile rapporto di proporzionalità tra soggetto senziente e oggetto sentito.

Grado L'ascesa a Dio comporta tre gradi principali,
che consistono nella considerazione delle realtà fuori di
noi, di quelle dentro di noi e di quelle sopra di noi. Tali
gradi divengono, poi, sei, in quanto nelle suddette realtà
Dio si manifesta *per speculum* e *in speculo*: nel primo
caso occorre considerare tutte queste realtà prima in sé,
come capaci di rinviare a Dio; nel secondo la presenza
divina viene invece afferrata direttamente in esse.
Bonaventura paragona questi gradi rispettivamente ai
tre ordini di sostanza – corporea, spirituale, divina –
presenti in Cristo (che è appunto scala per l'ascesa) e ai
sei giorni nel corso dei quali Dio creò tutta la realtà (cfr.
Itin., I 2-3 e 5).

Grazia Bonaventura propone le riflessioni contenute
nell'*Itinerarium* a quanti sono mossi dalla grazia di Dio
(cfr. *Itin.*, prol. 4); è, infatti, attraverso la grazia, dono di
Dio, che l'uomo è posto in grado di iniziare il proprio
itinerario a Lui. La grazia in effetti rinnova l'anima
umana, purificandone e illuminandone le facoltà (I 8); la
riveste delle tre virtù teologali (fede, speranza, carità),
consentendole di riacquistare i suoi sensi spirituali; la
rende perfetta, facendo di essa una immagine tersa della
Trinità.

Illuminazione Pur senza esservi espressamente svolta, questa fondamentale dottrina, che Bonaventura trae
da Agostino, è sottesa a tutto l'*Itinerarium*. È significativa a questo riguardo l'affermazione secondo cui ogni
grado dell'ascesa costituisce una progressiva illuminazione (cfr. *Itin.*, prol. 1 e 3), che, come ogni illuminazione, discende da Dio «Padre della luce». In particolare si
spiegano con l'illuminazione dell'anima da parte delle

eterne idee divine sia la capacità, propria dell'intelletto, di giudicare con piena certezza i dati ricevuti attraverso i sensi, sia il potere della volontà di valutare con sicurezza i diversi beni.

Immagine È la condizione che spetta alle realtà immortali e spirituali, e in primo luogo all'anima umana (*Itin.*, I 2); nelle sue tre potenze (memoria, intelletto, volontà) riluce infatti l'immagine della Trinità divina (III 1-5). Vedi la voce ANIMA.

Intelletto Come la memoria e la volontà anche l'intelletto riflette in sé l'immagine divina e insieme ad esse costituisce lo "spazio" in cui l'uomo si apre propriamente a Dio. Bonaventura individua il tratto, per così dire, di eternità presente nell'intelletto nella sua capacità di giudicare le cose, definendole e poi ordinandole secondo una scala di progressiva perfezione. Esso però può fare questo solo perché ha in sé i criteri immutabili (del vero, del bello, del bene), in virtù dei quali stabilisce se una cosa è vera o falsa, bella o brutta, buona o cattiva, e tali criteri immutabili sono come un raggio dell'immutabile Verità divina che illumina l'anima umana. Vedi la voce ILLUMINAZIONE.

Libro Vedi la voce SPECCHIO.

Meditazione È una nozione assai importante (cfr. *Itin.*, prol. 2; I 8) per intendere l'opera qui presentata. Bonaventura la trae dal lessico della teologia monastica, dove essa indica l'attenta riflessione della parola divina contenuta nella Scrittura. Nell'*Itinerarium* questo termine viene risemantizzato, passando a significare la considerazione delle realtà fuori di noi e in noi, ossia di quanto costituisce uno specchio capace di rinviare a Dio. Non a caso Bonaventura si serve, per designare tale considerazione, anche del termine *speculatio*. Si tratta di un'attività che si colloca tra il desiderio, che costituisce il punto di partenza dell'itinerario e che implica una conoscenza di Dio ancora parziale quale quella propria della fede, e il rapimento mistico, che è l'esperienza più alta del divino accessibile in questa vita.

Memoria È una delle facoltà appartenenti alla sfera più alta dell'anima, nella quale si riflette l'immagine di Dio. Attraverso la sua capacità di attualizzare tutte le realtà temporali, passate, presenti e future, essa fornisce un'immagine dell'eternità, che consiste appunto in un immutabile presente.

Numero Rifacendosi all'insegnamento della Scrittura, ma anche a quello di Agostino e di Boezio, Bonaventura vede nel numero, di cui elenca sette specie scalari, la prima idea esemplare nella mente del Creatore e il principale vestigio che nelle cose rimanda alla divina Sapienza, dato che tutte le cose sono costituite secondo una proporzione numerica (cfr. *Itin.*, II 10).

Pace È lo stato di chi vive in piena comunione con Dio, in modo particolare di chi sperimenta il rapimento estatico, nel quale trova riposo l'attività indagatrice dell'intelletto. In essa non riposa però, anzi è intensamente operante, la componente affettiva dello spirito umano, ormai compiutamente entrata nella dinamica dell'amore divino.

Passaggio Quando l'anima si eleva al di sopra di se stessa, si compie per essa la pasqua, ossia il passaggio, di cui Cristo è via e porta, a Dio. Questo passaggio, che fu mostrato a Francesco d'Assisi, è un'ascesa in cui si lasciano da parte tutte le attività dell'intelletto (cfr. *Itin.*, VII 2-4).

Peccato Nell'*Itinerarium* Bonaventura ricorda in particolare il peccato originale, che ha corrotto in due modi la natura umana, nella mente con l'ignoranza e nella carne con la concupiscenza, così che essa giace ora nelle tenebre, a meno che la grazia e la giustizia non la soccorrano contro la concupiscenza, la scienza e la sapienza contro l'ignoranza (*Itin.*, I 7). Egli menziona altresì i peccati attuali, che deformano l'immagine di Dio nell'uomo; per questo è necessario che chi vuole ascendere a Dio eviti di cadere nella colpa (cfr. *Itin.*, I 8).

Preghiera È una delle condizioni dell'itinerario umano a Dio, in quanto infiamma il desiderio che muove il *viator* all'ascesa (*Itin.*, prol. 3; I 1). Bonaventura sottolinea in particolare il valore della preghiera rivolta a Cristo crocifisso, dal cui sangue redentore l'uomo viene purificato (*Itin.*, prol. 4) e, risemantizzando temi caratteristici della teologia monastica, considera la preghiera, accanto alla meditazione e alla santità di vita, mezzo per giungere alla contemplazione.

Ragione seminale È una forma ancora incompleta, immessa all'atto della creazione da Dio, causa prima, nella materia e destinata a svilupparsi, nel corso del tempo, secondo il progetto divino, ad opera delle cause seconde, ossia degli esseri creati. Attraverso questa dottrina (cfr. *Itin.*, I 14), già sostenuta dagli Stoici e, nel mondo cristiano, da Agostino, Bonaventura intende spiegare la comparsa nell'universo di "nuovi" esseri, che in realtà sono nuovi solo in apparenza, essendo stati creati da Dio fin dalle origini, appunto in forma incoativa, e poi portati alla loro piena esistenza grazie all'attività, per così dire coadiutrice di quella divina, delle cause seconde.

Sensazione Costituisce il primo grado della conoscenza. Attraverso i sensi, come attraverso cinque porte, penetrano nell'anima le nozioni di tutte le realtà sensibili, sia quelle provenienti dalle percezioni di un solo senso (quali la luce, il suono, l'odore, il sapore), sia quelle derivanti dalla collaborazione di più sensi (quali il numero, la grandezza, la figura). Data la sua natura spirituale, l'anima non riceve la sostanza materiale di queste realtà, ma la loro immagine o *species* generata dal contatto tra esse e i cinque sensi (*Itin.*, II 4).

Specchio Può definirsi così il mondo sensibile o macrocosmo, per mezzo del quale possiamo elevarci a Dio sommo Artefice (*Itin.*, I 5 e 9); in esso si riflettono infatti la somma potenza, sapienza e bontà di Colui che lo ha creato (I 10), ma anche la sua essenza, potenza e presenza (II 1). In questo senso Bonaventura parla del mondo creato anche come di un libro nel quale, attraverso l'ordine delle realtà che lo compongono, è possibile leggere questi stessi attributi divini. Specchio di Dio è altresì l'anima umana; in essa infatti, una quanto alla sostanza ma dotata di tre facoltà distinte – memoria, intelletto, volontà –, si riflette il mistero di Dio, trino quanto alle persone e uno quanto alla sostanza.

Teologia Nell'*Itinerarium* Bonaventura parla espressamente della teologia solo di passaggio, là dove accenna alle tre forme di teologia (simbolica, propriamente detta, mistica) attraverso le quali Cristo insegna all'uomo la «scienza della verità» (cfr. *Itin.*, I 7). Tuttavia chiaramente teologica è la problematica svolta nell'opera, come teologici sono i quadri teorici entro i quali essa è posta e discussa.

Trinità Il tema trinitario è al centro dell'opera qui presentata. È infatti la dinamica d'amore, che è all'origine sia della comunicazione reciproca delle tre persone divine sia del loro donarsi nella creazione e nella incarnazione del Verbo, a determinare in ultima analisi la ricerca di Dio da parte dell'uomo. Questi può contemplare Dio uno e trino dapprima nella creazione, che riflette la potenza del Padre, la sapienza del Figlio, la bontà dello Spirito Santo; poi con maggior chiarezza nella propria anima, immagine della Trinità; infine, al culmine dell'ascesa, nella sua natura di Bene sommo, nome che esprime appunto la capacità diffusiva delle persone divine.

Vestigio Con questo termine, tratto da Agostino (cfr. *De Trin.* VI *in fine*; IX 4 ss.), Bonaventura designa tutte le realtà corporee, temporali ed esterne all'uomo. Vestigio divino è quindi soprattutto il mondo creato, in quanto Dio vi ha lasciato la propria orma (*Itin.*, I 2), così che esso è in grado di rinviare all'immensa potenza, sapienza e bontà del suo creatore (I 11).

Virtù teologali Vedi la voce GRAZIA.

Volontà Al pari di memoria e intelletto la volontà fa parte della dimensione più elevata dell'anima e in essa si riflette quindi, come nelle altre due facoltà, l'immagine di Dio. Ciò è evidenziato soprattutto dalla presenza nel suo operare di un criterio immutabile, alla cui luce essa valuta i diversi beni, per poi scegliere quello giudicato più conveniente. È proprio della volontà, infatti, desiderare ardentemente il Bene sommo, il solo in grado di soddisfare la sua aspirazione alla felicità; di conseguenza essa sceglie le cose solo in quanto hanno una qualche relazione con tale Bene.

BIBLIOGRAFIA

EDIZIONI DELL'«ITINERARIUM MENTIS IN DEUM»

Doctoris Seraphici S. Bonaventurae, *Opera omnia edita studio et cura PP. Collegii a S. Bonaventura ad plurimos codices mss. emendata, anecdotis aucta, prolegomenis scholiis notisque illustrata*, Ad Claras Aquas (Quaracchi) 1882-1902, 10 voll.: vol. V, *Opuscula varia theologica*, 1891, pp. 295-313.

S. Bonaventurae, *Opera theologica selecta*, editio minor, Ad Claras Aquas 1934-1964, 5 voll.: vol. V, *Tria opuscula (Breviloquium, Itinerarium mentis in Deum, De reductione artium ad theologiam) - Sermones theologici*, 1964, pp. 179-214.

PRINCIPALI TRADUZIONI MODERNE

Traduzioni italiane.

L'ascesa a Dio («Itinerarium mentis in Deum»), intr. e note di E. Bettoni, versione di S. Olgiati, Milano 1974.

Itinerario della mente in Dio, intr. e trad. di O. Todisco, Padova 1980.

Itinerario della mente in Dio. Le scienze ricondotte alla teologia, trad. di E. Mariani, Vicenza 1984.

Itinerario dell'anima a Dio, Breviloquio, Riconduzione delle arti alla teologia, intr., trad. e note di L. Mauro, Milano 1985.

Itinerario della mente in Dio, intr. e trad. di O. Todisco, in *Opere di San Bonaventura*, vol. V/1 (*Opuscoli teologici*), a cura di L. Mauro, Roma 1993.

Itinerario della mente verso Dio, trad. e note di M. Parodi e M. Rossini, Milano 1994.

Traduzioni francesi.

Itinéraire de l'esprit vers Dieu, texte de Quaracchi, introduction, traduction et notes par H. Duméry, Paris 1960.

Traduzioni inglesi.

Itinerarium mentis in Deum, with an introduction, translation and commentary by Ph. Boehner, New York 1956.

Traduzioni tedesche.

Pilgerbuch der Seele zu Gott. Die Zurückführung der Künste auf die Theologie, eingeleitet, übersetzt und erläutert von J. Kaup, München 1961.

Traduzioni spagnole.

Obras de San Buenaventura, Ed. bilingüe, I: *Breviloquio. Itinenario del alma a Dios. Reducción de las ciencias a la teología. Cristo, maestro único de todos. Excelencia del magisterio de Cristo,* ed. dirigida, anotada y con introducciones por L. Amorós, B. Aperribay, M. Oromí, Madrid 1968.

STRUMENTI

Thesaurus Bonaventurianus, sous la direction de Ch. Wenin, I: S. Bonaventure, *Itinerarium mentis in Deum, De reductione artium ad theologiam,* concordances-indices réalisés par J. Hamesse, Louvain 1972.

PRINCIPALI MONOGRAFIE SUL PENSIERO BONAVENTURIANO

Gilson E., *La filosofia di San Bonaventura*, trad. it., Milano 1995. Esposizione ormai classica del pensiero bonaventuriano interpretato come «filosofia francescana» e «sintesi mistica dell'agostinismo medioevale». L'autore sottolinea con insistenza l'antiaristotelismo di Bonaventura e afferma che questi respinge, nella sua riflessione, ogni distinzione formale tra filosofia e teologia.

Lazzarini R., *S. Bonaventura filosofo e mistico del Cristianesimo*, Milano 1946. Ampia ricerca di carattere storico-teoretico, che analizza con particolare attenzione il problema dello *status* dell'*homo viator* (cfr. pp. 245-298).

Bougerol J.G., *Saint Bonaventure et la sagesse chrétienne*, Paris 1963. Agile ed efficace monografia, comprende anche una breve ma significativa antologia di passi bonaventuriani.

Quinn J.F., *The Historical Constitution of St. Bonaventure's Philosophy*, Toronto 1973. Secondo l'autore di questa vastissima monografia, l'esame delle fonti utilizzate da Bonaventura consente di affermare che in lui è presente una sintesi filosofica vigorosa e coerente che, per la sua originalità, deve essere definita non come un aristotelismo neoplatonizzante, né come una forma di agostinismo, ma come propriamente *bonaventuriana* (cfr. p. 843).

Vanni Rovighi S., *San Bonaventura*, Milano 1974. Breve ma efficacissimo esame storico dei temi più significativi del pensiero bonaventuriano, accompagnato da un'ampia scelta di testi. Molto interessante è la discussione sull'atteggiamento di Bonaventura, ministro generale dei francescani, di fronte alle contestazioni ecclesiali del suo tempo.

Mauro L., *Bonaventura da Bagnoregio. Dalla philosophia alla contemplatio*, Genova 1976. Attraverso l'esame del pensiero di Bonaventura, l'opera mette in luce come esso costituisca un originale ripensamento della tradizione agostiniano-monastica, che mira a soddisfare le esigenze culturali del secolo XIII, riproponendo, grazie a una matura valutazione dell'aristotelismo, l'unità della sapienza cristiana nella stretta connessione di ragione e fede.

Corvino F., *Bonaventura da Bagnoregio, francescano e pensatore*, Bari 1980. Indagine assai ampia sulla figura e sul pensiero di Bonaventura, di cui viene esaminata anche l'attività svolta al fine di soddisfare l'esigenza di rinnovamento presente nel mondo cristiano e testimoniata in particolare dal movimento gioachimita.

Bougerol J.G., *Introduzione a S. Bonaventura*, trad. it., Vicenza 1988. Lavoro fondamentale che discute con ricchezza di dati filologici e speculativi le fonti bonaventuriane, il metodo filosofico e teologico di Bonaventura, la struttura e il contenuto delle sue diverse opere.

Ratzinger J., *San Bonaventura. La teologia della storia*, trad. it., Firenze 1991. In questo importante studio l'autore dedica molto spazio all'esame dell'atteggiamento bonaventuriano nei confronti dell'aristotelismo, evidenziando come l'opposizione a quest'ultimo da parte di Bonaventura, verso la fine della sua vita, si collochi sul piano della teologia della storia (attraverso la contrapposizione della visione cristiana del mondo a quella pagana dello Stagirita), non su quello dell'epistemologia e della metafisica, e non implichi perciò l'abbandono delle dottrine aristoteliche di cui il maestro francescano aveva fatto uso nella *Lectura super Sententias*.

Van Steenberghen F., *La philosophie au XIIIe siècle*, Louvain-Paris 1991[2] (su Bonaventura, in particolare pp. 177-244). In questo lavoro di ampio respiro l'autore riprende le tesi esposte in numerosi scritti precedenti, arricchendole con un esame più analitico dei testi bonaventuriani e con una puntuale discussione della letteratura sull'argomento. In polemica soprattutto con l'interpretazione gilsoniana di Bonaventura, Van Steenberghen mostra come quest'ultimo abbia ricevuto da Aristotele l'essenziale della sua formazione filosofica; tuttavia, gli elementi tratti dalle diverse fonti non sono perfettamente fusi nella filosofia bonaventuriana, che può essere definita come un aristotelismo neoplatonizzante e che è posta a servizio di una teologia di ispirazione schiettamente agostiniana.

STUDI SULL'«ITINERARIUM MENTIS IN DEUM» E SULLE SUE PIÙ
IMPORTANTI TEMATICHE

Sauer E., *Die religiöse Wertung der Welt in Bonaventuras Itinerarium mentis in Deum*, Werl in Westf. 1937.

Szabò T., *De Ss. Trinitate in creaturis refulgente doctrina S. Bonaventurae*, Romae 1955.

Schaefer A., *The Position and Function of Man in the Created World according to St. Bonaventure*, in «Franciscan Studies», 20 (1960), pp. 261-316; 21 (1961), pp. 233-382.

Pepin J., *L'Itinéraire de l'âme vers Dieu selon saint Bonaventure*, in *Les deux approches du Christianisme*, Paris 1961, pp. 205-279.

Schmaus M., *Neuplatonische Elemente in Trinitätsdenken des Itinerariums Bonaventuras*, in *S. Bonaventura 1274-1974*, II, Grottaferrata 1973, pp. 45-69.

Nemetz A., *The Itinerarium Mentis in Deum. The Human Condition*, ivi, pp. 345-359.

McGinn B., *Ascension and Introversion in the «Itinerarium mentis in Deum»*, in *S. Bonaventura 1274-1974*, III, Grottaferrata 1973, pp. 335-352.

Gerken A., *Das Verhältnis von Schöpfungs- und Erlösungsordnung im «Itinerarium mentis in Deum» des hl. Bonaventuras*, in *S. Bonaventura 1274-1974*, IV, Grottaferrata 1974, pp. 283-310.

Bougerol J.G., *L'aspetto originale dell'«Itinerarium mentis in Deum» e il suo influsso sulla spiritualità del tempo*, in *Contributi di spiritualità bonaventuriana*, Atti del simposio internazionale (Padova, 15-18 settembre 1974), II, Padova 1974-1975, pp. 201-218.

Scapin P., *L'«Itinerarium mentis in Deum» e il «De primo principio». Convergenze e divergenze nell'approccio razionale di Dio*, in «Miscellanea Francescana», 75 (1975), pp. 21-40.

Turney L., *The Symbolism of the Temple in St. Bonaventure's «Itinerarium mentis in Deum»*, in «Miscellanea Francescana», 75 (1975), pp. 427-437.

Bougerol J.G., *L'aspect originel de l'«Itinerarium mentis in Deum» et son influence sur la spiritualité de son temps*, in «Antonianum», 52 (1977), pp. 309-325.

Wienbruch U., *Die geschichtsphilosophische Bedeutung der Engellehre bei Bonaventura. Ein Beitrag zur Deutung des «Itinerarium mentis in Deum» IV 4*, in *Die Mächte des Guten und Bösen. Vorstellungen im XII. und XIII. Jahrhundert über ihr Wirken in der Heilsgeschichte*, Berlin-New York 1977, pp. 131-153.

Bettoni E., *L'uomo in cammino verso Dio. Commento all'«Itinerario dell'anima a Dio» di S. Bonaventura*, Milano 1978.

Mirri E., *L'«Itinerarium mentis» come «Itinerarium Dei»*, in «Doctor Seraphicus», 26 (1979), pp. 33-44.

Di Vona P., *Dante filosofo e San Bonaventura*, in «Miscellanea Francescana», 84 (1984), pp. 3-19.

Pieretti A., *L'«itinerarium» di S. Bonaventura come*

ermeneutica ontologica, in «Doctor Seraphicus», 32 (1985), pp. 23-33.

Moretto G., *«Itinerarium mentis in Deum» e «Unterwegs zur Sprache»*, in «Doctor Seraphicus», 32 (1985), pp. 35-61.

Pompei A., *Amore ed esperienza di Dio nella mistica bonaventuriana*, in «Doctor Seraphicus», 33 (1986), pp. 5-27.

Schlosser M., *Lux Inaccessibilis. Zur negativen Theologie bei Bonaventura*, in «Franziskanische Studien», 68 (1986), pp. 1-140.

Gaya J., *Ars Patris Filius. Bonaventura e Ramon Llull*, in «Estudios lullianos», 27 (1987), pp. 21-36.

Schlosser M., *«Caligo illuminans». Gotteserkenntnis zwischen Licht und Dunkelheit bei Bonaventura*, in «Wissenschaft und Weisheit», 50 (1987), pp. 126-139.

Prini P., *L'Itinerarium di san Bonaventura e il nostro itinerario*, Atti del «Symposium» sull'*Itinerarium mentis in Deum* di san Bonaventura (La Verna, 14-17 settembre 1988), in «Studi Francescani», 85 (1988), pp. 209-223.

Vasoli C., *L'Itinerarium nel pensiero di san Bonaventura e nella filosofia del suo tempo*, ivi, pp. 249-261.

Bérubé C., *L'Itinerarium dans l'histoire de la pensée franciscaine*, ivi, pp. 263-278.

Iammarrone G., *Il posto e la funzione di Gesù Cristo nell'ascesa dell'uomo a Dio*, ivi, pp. 279-326.

Secondo L., *La vita spirituale nell'Itinerarium di S. Bonaventura*, ivi, pp. 327-337.

Deug-Su I., *La mistica della caligo in San Bonaventura da Bagnoregio*, ivi, pp. 339-352.

Del Zotto C., *L'Itinerarium nel magistero recente della Chiesa*, ivi, pp. 365-393.

Bigi V.Ch., *Il valore filosofico-mistico dell'«Itinerarium mentis in Deum»*, in *Studi sul pensiero di San Bonaventura*, Assisi 1988, pp. 275-298.

Di Maio A., *Il vocabolario bonaventuriano per la natura*, in «Miscellanea Francescana», 88 (1988), pp. 301-356.

Javelet R., *Saint Bonaventure et Richard de Saint Victor*, in *Bonaventuriana. Miscellanea in onore di Jacques Guy Bougerol ofm*, I, Roma 1988, pp. 63-96.

Cerqueira Gonçalves J., *Naturaleza e caminhos da paz em Itinerarium mentis in Deum de Sâo Boaventura*, ivi, pp. 199-222.

Chavero Blanco F., *El hombre y su dimensión de futuro. Para una re-lectura bonaventuriana*, ivi, pp. 223-256.

Cornet L., *Pondus, numerus, mensura (Itiner. 1,11)*, ivi, pp. 297-310.

Landini L.C., *The Itinerarium mentis in Deum as a Religious Classic*, ivi, pp. 357-372.

Solignac A., *«Memoria» chez Saint Bonaventure*, ivi, II, pp. 477-492.

Valderrama C., *Una relectura dell'«Itinerarium mentis in Deum»*, in «Franciscanum», 30 (1988), pp. 231-234.

Di Maio A., *La dottrina bonaventuriana sulla natura*, in «Miscellanea Francescana», 89 (1989), pp. 335-392.

Zweerman T., *Prolegomena zur Lektüre von Texten Bonaventuras über der Schöpfung*, in «Franziskanische Studien», 71 (1989), pp. 29-41.

Hoefs K.-H., *Erfahrung Gottes bei Bonaventura. Untersuchungen zum Begriff «Erfahrung» in seinem Bezug zum Göttlichen*, Leipzig 1989.

Chavero Blanco F., *Per una teologia e antropologia dell'immagine in San Bonaventura*, in «Doctor Seraphicus», 37 (1990), pp. 5-35.

Schlosser M., *Cognitio et amor. Zum kognitiven und voluntativen Grund der Gotteserfahrung nach Bonaventura*, Paderborn-München-Wien-Zürich 1990.

Schmidt S., *Christus als «scala nostra».Christozentrische Aspekte im «Itinerarium mentis in Deum» des heiligen Bonaventura*, in «Franziskanische Studien», 75 (1993), pp. 243-338.

Chavero Blanco F., *Imago Dei. Aproximación a la antropología teológica de san Buenaventura*, Murcia 1993.

Nguyen Van Si A., *Les symboles de l'itinéraire dans l'«Itinerarium mentis in Deum» de Bonaventure*, in «Antonianum», 68 (1993), pp. 327-347.

Berti E., *Aristotelismo e antiaristotelismo in Bonaventura, Itin. 5*, in «Doctor Seraphicus», 40-41 (1993-1994), pp. 7-16.

Carlucci P., *Un singolare pellegrinaggio: l'«Itinera-*

rium mentis in Deum» di Bonaventura da Bagnoregio, ivi, pp. 69-74.

Mathieu L., *La Trinità creatrice secondo san Bonaventura*, trad. it., Milano 1994.

INDICE DEI PASSI BIBLICI CITATI DA BONAVENTURA IN MODO DIRETTO O PER CHIARA ALLUSIONE NELL' *ITINERARIUM MENTIS IN DEUM*

Apocalisse

1, 8	I 5; IV 5; V 7; VI 7
2, 17	IV 3; VII 2; VII 4
5, 1	VI 7
21, 2	IV 4
22, 14	prol. 3

Cantico dei Cantici

2, 7	IV 6
3, 6	IV 3
6, 9	IV 3
8, 5	IV 3

Paolo, Lettera ai Colossesi

1, 15	II 7; VI 7

Paolo, Prima Lettera ai Corinzi

1, 24	I 7
1, 30	I 7
2, 10	VII 4
2, 11	IV 8
13, 12	III 1
15, 28	IV 4; V 8
15, 57	II 13

Paolo, Seconda Lettera ai Corinzi

12, 2	prol. 3
12, 9	VII 6

Daniele

9, 23	prol. 3

Deuteronomio

6, 4	V 6

Lettera agli Ebrei

1, 3	II 7
1, 14	II 2
11, 3	I 12

Ecclesiastico (Siracide)

24, 18	I 9

Paolo, Lettera agli Efesini

1, 17-18	prol. 1
3, 9	VII 1
3, 17-18	IV 8

Esodo

3, 14	V 2
3, 18	I 3
12, 11	VII 2
14, 16	VII 2
24, 16	I 5
25, 10-22	V 1
25, 20	VI 4; VII 1
26	III 1
26, 33-35	V 1
33, 19	V 8
33, 20	VII 6

Ezechiele

2, 9	VI 7

Paolo, Lettera ai Filippesi

4, 7	prol. 1

Paolo, Lettera ai Galati

2, 19-20	prol. 3
3, 19	IV 7

Genesi

1, 3ss.	I 3
1, 26	VI 7
2, 2	VI 7
2, 9	IV 2
2, 15	I 7
28, 12	I 9
35, 10	VII 3

Lettera di Giacomo

1, 17	prol. 1

Giobbe

7, 15	VII 6

Giovanni, Vangelo

1, 1	III 3
1, 9	III 3
1, 14	I 7
1, 17	I 7
10, 1	prol. 3
10, 7	VII 1
10, 9	prol. 3; IV 2
13, 1	I 9; VII 6
14, 6	IV 3; VII 1
14, 8	VII 6
17, 3	VI 4

Isaia

6, 2	I 5; IV 7
31, 9	VII 6

Luca, Vangelo

1, 79	prol. 1
10, 27	I 4
18, 19	V 2
23, 43	VII 2

Marco, Vangelo

12, 30	I 4

Matteo, Vangelo

17, 1-2	I 5
22, 37	I 4
22, 40	IV 5
28, 19	V 2

Prima Lettera di Pietro

2, 9	II 13

Proverbi

16, 4	V 7

Primo libro dei Re
(Vg: Terzo libro dei Re)

10, 19	I 5

Paolo, Lettera ai Romani

1, 20	II 12; II 13

5, 5	IV 8
11, 36	V 8
13, 10	IV 5

Salmi

4, 7	V 1
4, 9	IV 6
36, 4	IV 2
37, 9	prol. 3
40, 9	IV 2
44, 8	prol. 4
72, 26	VII 6
75, 3	prol. 1
75, 5-6	III 7
83, 6-7	I 1
83, 8	I 8
85, 11	I 1
91, 5	I 15
103, 24	I 15
105, 48	VII 6
109, 3	IV 6
119, 7	prol. 1
121, 6	prol. 1

Sapienza

5, 20	I 15
11, 20	I 11
13, 5	I 9

Paolo, Prima Lettera
a Timoteo

1, 5	I 7; IV 5
2, 5	VII 1

INDICE GENERALE

INTRODUZIONE di Letterio Mauro   5

1. L'uomo alla ricerca di Dio   5
2. Le condizioni dell'ascesa a Dio   8
3. Il mondo, specchio di Dio   10
4. La Trinità in noi: l'uomo «imago Dei»   16
5. Dio rivela all'uomo il proprio mistero   23
6. L'incontro mistico con Dio   28
7. Considerazioni conclusive   30

NOTE ALL'INTRODUZIONE   33

CRONOLOGIA DELLA VITA
E DELLE OPERE DI BONAVENTURA   43

NOTA EDITORIALE   47

ITINERARIUM MENTIS IN DEUM

Prologo   51

Capitolo I. Le tappe dell'ascesa a Dio:
come si conosce Dio specularmente per mezzo
delle sue vestigia nell'universo   59

Capitolo II. Come si conosce Dio specularmente
nelle sue vestigia presenti nella realtà sensibile   75

Capitolo III. Come si conosce Dio specularmente
per mezzo della sua immagine impressa
nelle facoltà naturali   93

Capitolo IV. Come si conosce Dio specularmente
nella sua immagine rinnovata dai doni della grazia   107

Capitolo V. Come si conosce specularmente
l'unità di Dio per mezzo del suo primo nome,
che è l'Essere   119

Capitolo VI. Come si conosce specularmente
la beatissima Trinità nel suo nome, che è il Bene   131

Capitolo VII. Il rapimento mistico dell'anima,
in cui all'intelletto è concesso il riposo,
mentre l'affetto si riversa totalmente in Dio   141

NOTE AL TESTO   149

PAROLE CHIAVE   163

BIBLIOGRAFIA   173

INDICE DEI PASSI BIBLICI CITATI
NELL'«ITINERARIUM MENTIS IN DEUM»   185